名《めい》探《たん》偵《てい》コナン

DETECTIVE CONAN

VOLUME 13

青山剛昌《あおやまごうしょう》

★前巻《ぜんかん》までのあらすじ★

小《ちい》さくなった名探偵《めいたんてい》・江戸川《えどがわ》コナン。本当《ほんとう》の姿《すがた》は高校生名探偵《こうこうせいめいたんてい》・工藤《くどう》新一《しんいち》なのだが、正体《しょうたい》を隠《かく》してGF《ガールフレンド》・蘭《らん》の家《いえ》、毛利探偵事務所《もうりたんていじむしょ》に居候中《いそうろうちゅう》。

毒薬《どくやく》を飲《の》まされた黒《くろ》ずくめの男達《おとこたち》の行方《ゆくえ》を追《お》っているが、なかなか手《て》掛《が》かりがつかめず、謎《なぞ》のまま。

一方《いっぽう》、毛利小五郎《もうりこごろう》は、コナンのおかげで、今《いま》や名探偵《めいたんてい》(⁉)として有名人《ゆうめいじん》。

ある日《ひ》、ホームズ・フリークツアーに参加《さんか》したコナン達《たち》。そこにはコナンの正体《しょうたい》を疑《うたが》う服部平次《はっとりへいじ》も参加《さんか》。

ところが、主催者《しゅさいしゃ》のペンションオーナー・金谷《かなや》が、車《くるま》ごとガケから転《てん》落死《らくし》。さらに第二《だいに》、第三《だいさん》の事件《じけん》が発《はっ》生《せい》するなか、真犯人《しんはんにん》を見《み》つけたコナンは、平次《へいじ》を使《つか》って真相《しんそう》を語《かた》る…‼

名探偵コナン 13　目次

■青山剛昌■

FILE.1《ファイル》
本当《ほんとう》の姿《すがた》

ザーーザーー
そうや…
まず、このペンションのオーナー金谷《かなや》さんを車《くるま》に乗《の》せ、ガケから転落《てんらく》させた第一《だいいち》の事件《じけん》…
次《つぎ》にガレージで、綾子《あやこ》さんを焼《や》き殺《ころ》した第二《だいに》の事件《じけん》…
そしてこの部屋《へや》を停電《ていでん》させ、藤沢《ふじさわ》さんをアイスピックで殺《ころ》そうとした第三《だいさん》の事件《じけん》…
Mycroft
この三《みっ》つの事件《じけん》を起《お》こした犯人《はんにん》は…
あなたや!!!

え？
オレ？
ちがいまんがな!!
オッサンの後《うし》ろで冷汗流《ひやあせなが》してる…
戸叶《とがのう》さん!!
あなたやで!!!
ちょ、ちょっとまってくれよ!!
僕《ぼく》はオーナーの車《くるま》が動《うご》き出《だ》す何時間《なんじかん》も前《まえ》からずーっと、このリビングにいたじゃないか!
それに綾子《あやこ》が焼死《しょうし》した時《とき》だって、みんなといっしょに…
フッフッフ…

そのとおりだバカタレ!!
ポカッ
ゲッ?
やべー起《お》きちゃったかな…?
ちょっとお父《とう》さん…
なめんなよ、急《きゅう》に変《へん》な関西弁《かんさいべん》使《つか》いやがって!
だいたいなーオーナーの車《くるま》が動《うご》き出《だ》した時《とき》、おまえも戸叶《とがのう》さんといっしょにこの部屋《へや》にいたんだろーが!?
その戸叶《とがのう》さんが、どーやって車《くるま》を動《うご》かせるってんだよ?
そうや…確《たし》かに見《み》た目《め》は不可能《ふかのう》や…
だが死後硬直《しごこうちょく》と、車《くるま》のある機能《きのう》を利用《りよう》すればそれも可能《かのう》と…
なりまんがな…
て、てめぇ…
トリックはこうや!今《いま》からまる一日前《いちにちまえ》に殺《ころ》したオーナーを車《くるま》のシートに座《すわ》らせ、ブレーキを踏《ふ》んだ状態《じょうたい》で固定《こてい》する…
半日《はんにち》たてば死体《したい》は死後硬直《しごこうちょく》で硬《かた》くなり、エンジンをかけてギアをドライブに入《い》れても、ブレーキが踏《ふ》まれてるため車《くるま》は止《と》まったままや…
そして昨日《ゆうべ》の食事《しょくじ》の前《まえ》にガレージを開《あ》け、硬直《こうちょく》がとけてブレーキを踏《ふ》んでいる足《あし》が緩《ゆる》み、自然《しぜん》に車《くるま》が動《うご》き出《だ》すのをリビングでまっていれば…

ハッハッハ バーカめ!!
死後《しご》硬直《こうちょく》はな、人間《にんげん》が死《し》んでから40時間《じかん》以上《いじょう》たたねーととけ始《はじ》めねーんだよ!!
だいいち、これはさっきおめーがいった事《こと》じゃ…
外気温《がいきおん》が高《たか》ければどうや?
え?
死体《したい》のまわりの温度《おんど》が35度《ど》ぐらいなら、硬直《こうちょく》の進行《しんこう》とやわらかくなるスピードは上《あ》がり、24〜30時間程度《じかんていど》で硬直《こうちょく》はとけ始《はじ》める…
オーナーが姿《すがた》を消《け》したのが、おとといの夜《よる》10時以降《じいこう》…その後《あと》すぐに殺《ころ》されてたとしたら…
車《くるま》が動《うご》き出《だ》したのが約《やく》29時間後《じかんご》の今朝《けさ》の3時半頃《じはんごろ》やから、丁度《ちょうど》いい頃合《ころあ》いでおまんがな…
車《くるま》の中《なか》で聞《き》こえてた風《かぜ》のような音《おと》はクーラーじゃない、ヒーターや!!
もしクーラーがかかっていたなら、フロントタイヤのそばから水滴《すいてき》が落《お》ちるはず…
この暑《あつ》い時期《じき》なら1分《ぷん》足《た》らずでな!!
だから服部君《はっとりくん》タイヤのまわりを調《しら》べてたのね…
そうや、案《あん》の定《じょう》水《みず》の落《お》ちた跡《あと》はどこにもなかったで…
だが、そんなトリック、後《あと》で死後硬直《しごこうちょく》をちゃんと調《しら》べれば簡単《かんたん》に…

だからオーナーの死体《したい》を車《くるま》ごと、ガケ下《した》に転落《てんらく》させたんや!!
死体《したい》を回収不能《かいしゅうふのう》にし、死後硬直《しごこうちょく》を調《しら》べられなくするためにな!!
じゃあ途中《とちゅう》で車《くるま》がスピードを上《あ》げたのは?
あれはおそらく、車《くるま》が荒《あ》れ道《みち》に入《はい》ってブレーキペダルから死体《したい》の足《あし》がズレたから…
そして車《くるま》のパネルにかぶせてあった毛布《もうふ》は、
パネルに点灯《てんとう》しているヒーターの表示《ひょうじ》を車《くるま》に近寄《ちかよ》った人間《にんげん》に見《み》られたくなかったからや!
な、なるほど…そうやって車《くるま》が勝手《かって》に動《うご》き出《だ》すのを、誰《だれ》かと部屋《へや》の中《なか》で目撃《もくげき》すれば…
完璧《かんぺき》なアリバイができるってわけね!
じゃあ、まさかあの時《とき》、戸叶《とがのう》さんが綾子《あやこ》さんをリビングに引《ひ》き留《と》めたのって…
自分《じぶん》といっしょに車《くるま》を目撃《もくげき》してくれる証人《しょうにん》がほしかったから?
そのとおりや!
そしてそんな事《こと》ができたのも、綾子《あやこ》さんの連《つ》れの戸叶《とがのう》さんだけ…
フフフ…おもしろい…
君《きみ》の推理《すいり》はまるで小説《しょうせつ》を読《よ》んでいるかのようだよ…

でも惜《お》しいかな、それを立証《りっしょう》する証拠《しょうこ》がない…
問題《もんだい》の水滴《すいてき》にしたって外《そと》はこの雨《あめ》、もうわかりはしないよ…
それに何度《なんど》もいうが、ガレージから火《ひ》が上《あ》がったのは僕《ぼく》が皆《みな》さんと部屋《へや》にいた時《とき》なんだよ？
どう考《かんが》えても僕《ぼく》には綾子《あやこ》がガレージに入《はい》っている時《とき》に、都合《つごう》よく火《ひ》をつける方法《ほうほう》なんて…
できまんがな、簡単《かんたん》に…
あなたは彼女《かのじょ》にこういえばいいんや…
「ガレージの車《くるま》の後部座席《こうぶざせき》の下《した》にホームズの初版本《しょはんぼん》が隠《かく》してある」ってね!!
STUDY IN SCARLET
A. CONAN DOYLE
……
初版本《しょはんぼん》？
おいおいそれがいったいなんの…
忘《わす》れたんか？あの時《とき》ガレージにあった車《くるま》は、ガソリン漏《も》れしてた上《うえ》にバッテリーが上《あ》がってたんやで？
本《ほん》を探《さが》そうと思《おも》っても、室内《しつない》ランプは点灯不能《てんとうふのう》で後部座席《こうぶざせき》の下《した》は真《ま》っ暗《くら》や…
オッサンならどーする？
そりゃー真《ま》っ暗《くら》じゃしょーがねーから…
ライターかなにかを…

そうかライターだ!!
綾子《あやこ》さんは本《ほん》を探《さが》すために、ライターの火《ひ》をつけたんだ!!
その火《ひ》が車《くるま》から漏《も》れて気化《きか》してたガソリンに引火《いんか》して…
じゃー火《ひ》をつけたのは彼女本人《かのじょほんにん》?
だとすれば、ガレージにいなくても焼《や》き殺《ころ》す事《こと》はできますね…
しかし君《きみ》の推理《すいり》だと、彼女《かのじょ》は第一《だいいち》の事件《じけん》の大切《たいせつ》な目撃者《もくげきしゃ》なんだろ?なんで殺《ころ》したりなんか…
目撃者《もくげきしゃ》は偶然《ぐうぜん》にも彼女《かのじょ》のほかに四人《よにん》もいた!彼女一人《かのじょひとり》を生《い》かしておく必要《ひつよう》はない…
で、でも綾子《あやこ》さんは戸叶《とがのう》さんの恋人《こいびと》でしょ?なのにどーして…
見破《みやぶ》られたからや!彼女《かのじょ》に…
死後硬直《しごこうちょく》のトリックも戸叶《とがのう》さんが犯人《はんにん》だという証拠《しょうこ》もな!!
みんなも覚《おぼ》えているやろ?綾子《あやこ》さんが突然《とつぜん》「犯人《はんにん》がわかった」といい出《だ》したのを…
それを聞《き》いて焦《あせ》った戸叶《とがのう》さんは、トイレに行《い》く彼女《かのじょ》についていく振《ふ》りをして、初版本《しょはんぼん》の話《はなし》をもちかけガレージのワナにはめたんや!
そういえば、あの時《とき》彼女《かのじょ》と二人《ふたり》きりになれたのは戸叶《とがのう》さんだけ…
だから彼女《かのじょ》、トイレの後《あと》、態度《たいど》をひるがえしたのね!

でも…よく急《きゅう》に思《おも》いついたわね、あんなガレージのトリックを…
いいや、あのトリックはあらかじめある人物《じんぶつ》のために用意《ようい》されていたワナ…
犯人《はんにん》にとって幸運《こううん》やったのは、綾子《あやこ》さんがその人物《じんぶつ》と同《おな》じくライターを持《も》っていた事《こと》…
そう…ガレージに張《は》られたワナは…
本当《ほんとう》は…
藤沢《ふじさわ》さんを殺《ころ》すためのワナだったはずやからな!!
な、
なに!?
ホラ、藤沢《ふじさわ》さんの部屋《へや》のドアにはさまっていたという、あのカード…
あの本が欲しければ
明朝5時に
ガレージに来い
車の後部座席の
下に置いておく
あれで戸叶《とがのう》さんは、藤沢《ふじさわ》さんをガレージにおびき寄《よ》せて殺《ころ》すつもりだったんや!!
だが、予定《よてい》が狂《くる》ってガレージのワナを綾子《あやこ》さんを殺《ころ》すのに使《つか》ってしまい、
とっさに思《おも》いついた例《れい》のコンセントの仕掛《しか》けで停電《ていでん》させ、アイスピックで藤沢《ふじさわ》さんを襲《おそ》ったんや!
そうか…
だから第三《だいさん》の事件《じけん》だけ、あんなに証拠《しょうこ》が残《のこ》っていたのか…
あのコンセントの仕掛《しか》けは、あの時《とき》キッチンに行《い》った戸叶《とがのう》さんなら十分《じゅうぶん》にできる…
つまり第一《だいいち》、第二《だいに》、第三《だいさん》のすべての事件《じけん》に共通《きょうつう》して犯行《はんこう》が可能《かのう》だったのは、戸叶《とがのう》さんだけしか…

だったら見《み》せてみろよ…
証拠《しょうこ》をよー…
そこまでいうんだったらちゃんと証拠《しょうこ》があるんだろーな…
おや？知《し》りまへんでした？彼女《かのじょ》は見《み》たんやで昨日《きのう》の昼間《ひるま》あなたの部屋《へや》で…
ある物《もの》を…
フン！あいつが誰《だれ》の部屋《へや》で何《なに》を見《み》ようが知《し》った事《こと》か!!
もっとも、あいつがなにかを見《み》ていたとしても…
もう誰《だれ》にも話《はな》せない体《からだ》に…
第一問《だいいちもん》、
ホームズの利《き》き腕《うで》は？
な!?
第二問《だいにもん》…ワトソン博士《はかせ》の妻《つま》の名前《なまえ》は？
なんなんだいきなり？
おやおや？忘《わす》れてもうたんでっか？あなたもやったはずやで？ホームズカルトテスト1000問《もん》!!
え？

では第《だい》241問《もん》…暗号《あんごう》「踊《おど》る人形《にんぎょう》」を使《つか》って、ホームズが犯人《はんにん》に出《だ》した手紙《てがみ》の内容《ないよう》は？
あ、ああその問題《もんだい》ならよく覚《おぼ》えているさ！
答《こた》えは「Come《カム》 here《ヒア》 at《アット》 once《ワンス》」「すぐ来《こ》い」だ!!
ハハハ、こんな所《とこ》で僕《ぼく》のホームズフリーク度《ど》を試《ため》して、
いったい何《なに》を…!?
そんな問題《もんだい》ありませんでしたけど…
な!?
「踊《おど》る人形《にんぎょう》」であった問題《もんだい》はアレよアレ！
作品中《さくひんちゅう》に出《で》てきた「踊《おど》る人形《にんぎょう》」のすべてを書《か》き記《しる》せ！
そうや…あれは忘《わす》れようと思《おも》っても忘《わす》れられない超難問《ちょうなんもん》…
それを覚《おぼ》えてないとは、ちょっとおかしいとちゃいまっか？
そ、それは…
綾子《あやこ》さんがあなたの部屋《へや》に行《い》ったのは、テストの答《こた》えをカンニングするため…
もしくは答《こた》えをあなたと相談《そうだん》して書《か》くためや！
だが、あなたは部屋《へや》にいなかった…
おそらくオーナーの死後硬直《しごこうちょく》の具合《ぐあい》を調《しら》べるために、ガレージに行《い》ってたんやろ…
じゃあまさか…
綾子《あやこ》さんが見《み》た物《もの》って…

そうや！何《なに》も答《こた》えが書《か》かれていない、
白紙《はくし》の答案用紙《とうあんようし》や!!
………
なぜ答《こた》えを書《か》かなかったか…
それは書《か》いても無駄《むだ》やから…
つまりあなたは知《し》ってたんや!!
テストを採点《さいてん》してくれるオーナーが、もうこの世《よ》にはいないという事《こと》をな!!
それがデタラメだというのなら、
あなたの答案用紙《とうあんようし》、見《み》せてくれへんか？
今《いま》すぐに!!

ガク
くっ、くそ…
き、きさま…
いえ、なぜだ!?
なぜワシとオーナーの命《いのち》を!?
「アイリーン・アドラーの嘲笑《ちょうしょう》」…
動機《どうき》はおそらく、藤沢《ふじさわ》さんとオーナーが協力《きょうりょく》して出《だ》したっていうあの本《ほん》や…
な、なんだとぉ…
アイリーンって話《はなし》の中《なか》でホームズを、出《だ》し抜《ぬ》いたっていう女優《じょゆう》の？
ええ…でもだんな様《さま》の本《ほん》はほとんど「ホームズの推理《すいり》ミス」…
そうか…その本《ほん》でホームズがバカにされたと思《おも》った彼《かれ》は…
フン…
その逆《ぎゃく》だよ…

アイリーンはシャーロックが認《みと》めた唯一《ゆいいつ》の女性《じょせい》…
その彼女《かのじょ》がシャーロックをあざけ笑《わら》うなんて…僕《ぼく》には考《かんが》えられない…
許《ゆる》せなかったんだ…
日本屈指《にっぽんくっし》のホームズフリークの、あなた達《たち》が出《だ》した本《ほん》だからこそ許《ゆる》せなかった…
絶対《ぜったい》に…
絶対《ぜったい》に…
うう…
フン…
そのとばっちりをくって殺《ころ》された、あなたの恋人《こいびと》はもっとかわいそーだってーの…
ふあぁぁ…
すごーい服部君《はっとりくん》！
さすが西《にし》の名探偵《めいたんてい》だね!!
………

当《あ》たり前《まえ》や──♡
こんくらいの事件《じけん》、オレにかかりゃ朝飯前《あさめしまえ》でんがな~♡
ホッ…なんとか正体《しょうたい》バレずにすんだみてーだな…
おーきに♡
おーきに♡
パチパチパチ
後《あと》は誰《だれ》が警察《けいさつ》に連絡《れんらく》しに行《い》くかだが…
じゃあ自分《じぶん》が…
あれコナン君《くん》?
コナンくーん!
あ…
ボク、ここだよ蘭《らん》ねエ…
なあ…
へ?

おまえ工藤《くどう》やろ?
えっ…

な、な、な、なにいってんだよボクは子供《こども》だよ子供《こども》!!
アホぬかせ!けったいな関西弁《かんさいべん》使《つか》いよって!!
おっ、これやな?オレの声《こえ》マネしよったメカは!!
あっあっ…
これを使《つこ》うてたの、ちゃんと横目《よこめ》で見《み》とったで!!
ど、どの辺《へん》から?
「それも可能《かのう》となりまんがな」からや!!
言葉遣《ことばづか》いは妙《みょう》やったけど、あの口調《くちょう》と論理《ろんり》の組《く》み立《た》ては工藤新一《くどうしんいち》!!まちがいあらへん!!!
や、やだなー?よく見《み》てよ!ボク子供《こども》だよ♡
は…さよけ!ほんなら、あの娘《こ》にみんなゆうてまうけど、ええんやな?
い、いいよ!だってボク子供《こども》だもん…
?
なあなあちょっと聞《き》いてんか?
………
実《じつ》は…
……
ちょっとまったぁ!!!

へー
薬《くすり》で小《ちい》さくねー…
それでその組織《そしき》を調《しら》べるために、好《す》きな女《おんな》の所《とこ》にころがり込《こ》んどるっちゅうわけか…
ブロロロ…
ホー…
べ、別《べつ》に好《す》きじゃねーよ
あんなめんどくせー女《おんな》…
あら！
仲《なか》がいいのね
コナン君《くん》と服部君《はっとりくん》！
ヒョコ
う、うん…
なあ！
前《まえ》に工藤《くどう》があんたの事《こと》なんてゆうたか教《おし》えたろか？
え？
めっちゃややこしゅうてかなわん女《おんな》やゆうてたで!!
ややこしい…？
オレを眠《ねむ》らせた仕返《しかえ》しや…
ヤロォ…

FILE《ファイル》.2
目撃者《もくげきしゃ》は…!?

夏《なつ》!!
—伊豆《いず》—
太陽《たいよう》!!とくれば…
やっぱ海《うみ》よねー♡
—にしても、こーんな魅力的《みりょくてき》な女《おんな》が二人《ふたり》もいるというのに…
ビーチにいる男《おとこ》が、ただ一人《ひとり》コナン君《くん》とは…
パチャ
パチャ
はーっ情《なさ》けない…
悪《わる》かったな…

当《あ》たり前《まえ》でしょ？ここは園子《そのこ》の別荘《べっそう》のプライベートビーチなんだから！
あ、そうか！ここで肌《はだ》をこんがり焼《や》いて、夏休《なつやす》み中《ちゅう》に男《おとこ》をひっかけるんだった！
もー園子《そのこ》いつも男《おとこ》、男《おとこ》って…
あらいいわよねー決《き》まったダンナがいる人《ひと》は…
どうせその水着《みずぎ》だって、新一君《しんいちくん》に見《み》せるために買《か》ったんでしょー？
そ、そんなんじゃないわよ～!!
あ、照《て》れてる照《て》れてる…
ホ――…
アレをオレのために…
せ、せっかくだからもっと近《ちか》くで…
ピピー
バシャ
へ？
バシャ

よっ、園子《そのこ》ちゃん!
ゆ、雄三《ゆうぞう》さん!?
やっぱりいいなー若《わか》い女《おんな》の子《こ》は!!
結婚《けっこん》決《き》めたの早《はや》まったかな?
富沢雄三《とみざわゆうぞう》(28)
またまた〜姉《あね》キにゾッコンのくせに!!
え?じゃあこの人《ひと》が…
そうよ!富沢財閥会長《とみざわざいばつかいちょう》富沢哲治《とみざわてつはる》氏《し》の三男《さんなん》、富沢雄三《とみざわゆうぞう》さんよ!
この秋《あき》、姉《あね》キと結婚《けっこん》するのよ!
我《わ》が鈴木財閥《すずきざいばつ》と富沢財閥《とみざわざいばつ》は仲《なか》がいいのよ!
ホラ、別荘《べっそう》もとなり同士《どうし》に建《た》ってるし…
ウチが主催《しゅさい》したパーティーで姉《あね》キを見《み》て、一目《ひとめ》ボレしたんだって♡
へ――…
もういいじゃないか園子《そのこ》ちゃん…

それより彼女《かのじょ》は…?
姉《あね》キならウチの別荘《べっそう》でゴロゴロしてるわよ…
姉《あね》キ、暑《あつ》いの苦手《にがて》だから…
あ、そっか!!
姉《あね》キがしきりに海《うみ》に行《い》こうって誘《さそ》ってたのは、雄三《ゆうぞう》さんに会《あ》うためだったんだ!!
どーもおかしいと思《おも》ったのよねー暑《あつ》がりの姉《あね》キが海《うみ》に行《い》きたがるなんて…
あ、いや…本当《ほんとう》は父《ちち》や兄達《あにたち》にちゃんと彼女《かのじょ》を紹介《しょうかい》したかったからなんだ…
え?じゃあ…
その人達《ひとたち》もここに…?
ああ…兄達《あにたち》が来《く》るのは明日《あした》だけど、父《ちち》はもうウチの別荘《べっそう》に着《つ》いてる頃《ころ》だよ…
ちょっと電話《でんわ》してみようか…
ただ今《いま》外出《がいしゅつ》しております…ご用件《ようけん》のある方《かた》は…
あれ?留守電《るすでん》になってる…
今《いま》何時《なんじ》?
3時《じ》10分《ぷん》ですけど…
おっかしーなー…3時《じ》についてるはずなんだけど…
ピッ
あれ、園子《そのこ》帰《かえ》っちゃうの?
哲治《てつはる》おじさまが来《く》るというのに、のんびり海《うみ》で遊《あそ》んでる場合《ばあい》じゃないわ!あいさつしなきゃ…
ちょっと園子《そのこ》ぉ~!!
ガチャ

あ!!
あら…
と、父《とう》さん!?
おお、雄三《ゆうぞう》！先《さき》にお邪魔《じゃま》してるぞ!!
──ったく！後《あと》で彼女《かのじょ》を連《つ》れて行《い》くから、ウチの別荘《べっそう》でまっててくれっていったじゃないか!!
その後《あと》、みんなで食事《しょくじ》に出《で》かけようって!!
ああ…レストランならキャンセルしたよ…
富沢哲治《とみざわてつはる》(60)
富沢財閥会長《とみざわざいばつかいちょう》
今夜《こんや》は、おまえの未来《みらい》のお嫁《よめ》さんの手料理《てりょうり》をごちそうになろうと思《おも》ってな…
ホレ、材料《ざいりょう》もこのとおり…
ここで夕食《ゆうしょく》…?
まさか父《とう》さん…
ハハハ…

さあ
セットポジションから
第《だい》4球《きゅう》…
投《な》げた…
打《う》った
大《おお》きい!!
おお
〜〜〜っ!!
入《はい》った、同点《どうてん》
スリーラーン!!
ファルコンズ
4番《ばん》木暮《こぐれ》、
雨《あめ》の中豪快《なかごうかい》に
ライトスタンドへ
運《はこ》びました!!!
よっ
しゃあ
〜!!
父《とう》さんは、
鹿児島《かごしま》
ファルコンズの
熱狂的《ねっきょうてき》な
ファン
でね…
特《とく》に今《いま》打《う》った
木暮《こぐれ》には
もう…
おお! 木暮《こぐれ》は
プロ野球界《やきゅうかい》の宝《たから》だ!
4番《ばん》でスイッチ
ヒッターなんて
日本《にっぽん》じゃ彼《かれ》ぐらいしか
おらんからな!!
でも、ここに来《き》てまで
観《み》る事《こと》はないだろ?
仕方《しかた》ないだろ?
ウチの別荘《べっそう》の、
衛星放送《えいせいほうそう》の
調子《ちょうし》が悪《わる》いん
だから…
抜《ぬ》けた
センター前《まえ》!!
6回裏《かいうら》なおも
ファルコンズの
猛攻《もうこう》が続《つづ》きます!
よし、よし、
よし!!
9時《じ》になりました。
試合《しあい》の途中《とちゅう》ですが
ここで5分間《ふんかん》
ニュースを…
え?

台風情報《たいふうじょうほう》です！沖縄《おきなわ》から北上《ほくじょう》している台風《たいふう》11号《ごう》は俄然勢力《がぜんせいりょく》を増《ま》し、中心《ちゅうしん》の気圧《きあつ》は…
くそっいいところで切《き》りおって…
なお、この影響《えいきょう》で飛行機《ひこうき》と船《ふね》のダイヤが大幅《おおはば》に…
6回《かい》なのにもう9時《じ》か…
仕方《しかた》ないよ…雨《あめ》で何度《なんど》も試合《しあい》中断《ちゅうだん》してたから…
こっちも降《ふ》って来《き》たみたいよ…
え？
今《いま》キッチンに行《い》ったら、ザーザーって…
あのー…ラジオか何《なに》かありませんか？
あ、ありますけど…
でもこの試合《しあい》、ラジオじゃやってないみたいだよ…
くそっ！
まあまあ…まっていればすぐに始《はじ》まりますよ…
いかがです？その間《あいだ》コーヒーでも…
おおこれはこれは…
さすが鈴木家《すずきけ》のお嬢《じょう》さんだ！良《よ》くできておられる！雄三《ゆうぞう》、おまえは果報者《かほうもの》だぞ!!
はいはい…
それに比《くら》べて上《うえ》の息子二人《むすこふたり》ときたら…

長男《ちょうなん》の太一《たいち》は私《わたし》の跡《あと》も継《つ》がずに小説家《しょうせつか》なんぞになりおって…おかげでまだ独《ひと》り身《み》だ…
次男《じなん》の達二《たつじ》は、我《わ》が社《しゃ》に入《はい》ったのはいいが、ワシに断《ことわ》りもなしにどこの馬《うま》の骨《ほね》ともわからん女《おんな》と婚約《こんやく》なんぞしおって…
鈴木財閥《すずきざいばつ》のお嬢《じょう》さんを射止《いと》めたおまえとは、えらいちがいだよ…
よ、よせよ兄《にい》さん達《たち》を悪《わる》くいうのは…
それにオレは…
彼女《かのじょ》が鈴木家《すずきけ》の娘《むすめ》だからといって結婚《けっこん》を決《き》めたわけじゃ…
9
フン、おまえもおまえだ!! いつまでもくだらん絵《え》を描《か》きおって!!
意地《いじ》を張《は》っとらんで早《はや》くおまえも我《わ》が社《しゃ》に入《はい》れ! いいポストを与《あた》えてやる!
それにその方《ほう》がおまえといっしょになる彼女《かのじょ》のためにも…
ガチャ
ガタッ
ゆ、雄三《ゆうぞう》さん…

オレ、ちょっとアトリエに行《い》ってくるよ…
仕上《しあ》げなきゃいけないイラストがまだ…残《のこ》ってるから…
アトリエ？
一《いち》キロ先《さき》に、ワシが建《た》ててやったんだよ！
雄三《ゆうぞう》の絵《え》が賞《しょう》をとったらという約束《やくそく》でな！
ガチャ
ゆ、雄三《ゆうぞう》さん…
放《ほ》っとけばいいんですよ！
少《すこ》しばかり有名《ゆうめい》になったと思《おも》って天狗《てんぐ》になりおって…
しょせん絵描《えか》きは絵描《えか》き、雨《あめ》に打《う》たれて頭《あたま》を冷《ひ》やせば雄三《ゆうぞう》もわかってくれるでしょう…
ザーー
自分《じぶん》の歩《あゆ》むべき道《みち》が、まちがっていたという事《こと》を…
フォアボール!!一転《いってん》してファルコンズノーアウト満塁《まんるい》の大《だい》ピンチ!!
なに!?
くそっ、ノーコン有藤《ありとう》め!!
なんでいつもおまえはそーなんだ!?
………

サヨナラー!! 9対《たい》8!!
延長《えんちょう》11回裏《かいうら》ファルコンズ、ついに接戦《せっせん》を制《せい》しました!!
やった! やったあ!! バンザーイ!!
これが隼《ハヤブサ》野《や》球《きゅう》の真髄《しんずい》よぉ!!!
あ…
お、おや… もうこんな時間《じかん》か…
そろそろワシは別荘《べっそう》に戻《もど》るとするか…
じゃあ綾子《あやこ》さん、今日《きょう》はどうもごちそうさまでした…
明日《あした》は息子《むすこ》三人《さんにん》を連《つ》れて来《き》ますが、よろしいですかな?
は、はい…
ーったく、明日《あした》もナイターを観《み》に来《く》る気《き》かしら?
ねぇ明日《あした》来《く》る、二人《ふたり》の息子《むすこ》さんってどんな人《ひと》…?
知《し》らなーい… その二人《ふたり》、パーティーに来《き》た事《こと》ないし…
明日《あした》お会《あ》いするのが楽《たの》しみね!
ホラ、もう11時半《じはん》よ 私達《わたしたち》もそろそろ…

フッ
あらやだ停電《ていでん》？
この辺一帯《へんいったい》そうみたいよ…
ホラ、哲治《てつはる》おじさまの別荘《べっそう》の明《あ》かりもついてないし…
きっとカミナリでどこかの線《せん》が…
ドッ
ウゴッ
な、なに今《いま》の音《おと》!?
それに変《へん》な声《こえ》!?
ガッ

だ、誰《だれ》かいるよ!!
何《なに》、あの人《ひと》?
ドカ
ドカ
ドシャ
ドシャ
なにやってんの?
ピッ
!?
ザク

ゆ、
雄三《ゆうぞう》さん!?
くそっ!!
まて!!
コナン君《くん》!!

くそっ見失《みうしな》っちまった!!
ハァ
ハァ
ハァ
ハァ
ハァ
きゃあああ
ダダダ
おじさま!!
おじさま!!
おじさま〜!!!
ひ、ひどい…
!?
こ、これはいったい…!?

ウーム
なるほど…
では、あなた達《たち》は、
11時半過《じはんす》ぎに
何者《なにもの》かが富沢哲治氏《とみざわてつはるし》を
石《いし》で殴《なぐ》り殺《ころ》すところを
目撃《もくげき》したんですね？
は、
はい…
で？
本当《ほんとう》に覚《おぼ》えて
いないんですか？
その人物《じんぶつ》の顔《かお》とか
体格《たいかく》とか…
そ、
それは…
あ、あの…
刑事《けいじ》さん…
じ、実《じつ》は…
おいおい、
どーしたんだい
この騒《さわ》ぎは？
!?
ゆ、
雄三《ゆうぞう》
さん!?
ん？
あなたが雄三《ゆうぞう》さん？
どこに行《い》ってたんですか？
何度《なんど》もアトリエに
電話《でんわ》したん
ですよ？
はあ…
アトリエに
いる事《こと》はいたんですが、
仕事《しごと》に集中《しゅうちゅう》するために
電話線《でんわせん》を抜《ぬ》いてた
もので…
何《なに》か
あったん
ですか？

殺《ころ》されたんですよ…
あなたの父《ちち》、富沢哲治氏《とみざわてつはるし》がね!!!
と、父《とう》さんが!?
そ、そんなバカな!?
いったい誰《だれ》が父《とう》さんを!?
へっとぼけんなよ…
オレ達《たち》はちゃんと見《み》てたんだよ、あんたが哲治《てつはる》さんを殺《ころ》す所《ところ》をな!!!
な!?
ね！蘭《らん》ねえちゃん!!
う、うん…
ち、ちがう…それは何《なに》かのまちがいだ…
オレは父《とう》さんを殺《ころ》してなんか…
おい、どーした雄三《ゆうぞう》…

なんなんだよ このマッポどもは、 あん？
た、達二《たつじ》兄《にい》さん…
え？
富沢達二《とみざわたつじ》（28）
よお、太一兄《たいちあに》キ！ なんか事件《じけん》らしいぜ!!
おお、それは丁度《ちょうど》よかった… 小説《しょうせつ》のネタに困《こま》っていたからな…
富沢太一《とみざわたいち》（28）
み、
三《み》つ子《ご》!?

FILE《ファイル》.3 三《み》つ子《ご》の容《よう》疑《ぎ》者《しゃ》

ええっおやじが!?
おやじが殺《ころ》されただと!?
ええ…昨夜《ゆうべ》11時半頃《じはんごろ》この別荘《べっそう》の玄関先《げんかんさき》でね…
犯行《はんこう》の動機《どうき》はまだわかりませんが犯人《はんにん》はわかっています!
え?
となりの別荘《べっそう》の方々《かたがた》が目撃《もくげき》してたんですよ…
あなた方《がた》の弟《おとうと》、雄三《ゆうぞう》さんが父親《ちちおや》を石《いし》で撲殺《ぼくさつ》するところをね!!
なに!?
だ、だからそれはなにかのまちがい…
まってください!!

2

え？
た、確《たし》かに私達《わたしたち》は犯人《はんにん》の顔《かお》を見《み》ました…でも…
見《み》たのは犯人《はんにん》の目《め》と鼻《はな》の部分《ぶぶん》だけで…
知《し》らなかったのよ!!雄三《ゆうぞう》さんにそっくりな兄弟《きょうだい》がいたなんて…
だ、だからその……私達《わたしたち》が見《み》た人《ひと》は…も、もしかしたら…
おいおい、我々《われわれ》かもしれないっていうのかい？
そうよ!!雄三《ゆうぞう》さんがあんな事《こと》するわけないもの!!
あんだとぉ〜〜〜!!
と・に・か・く!!
今《いま》わかっている事《こと》は……
犯人《はんにん》があなた方《がた》三兄弟《さんきょうだい》の中《なか》の誰《だれ》かだという事《こと》…
そしてもう一《ひと》つ、被害者《ひがいしゃ》の時計《とけい》がなぜか外《はず》されていたという事《こと》です!!
時計《とけい》…？

ええ…
被害者《ひがいしゃ》の左手首《ひだりてくび》に
飛《と》び散《ち》っていた血痕《けっこん》が
不自然《ふしぜん》に途切《とぎ》れて
いました…
あれは明《あき》らかに
犯人《はんにん》が犯行後《はんこうご》に
被害者《ひがいしゃ》の時計《とけい》を外《はず》して
持《も》って行《い》った跡《あと》…
おそらく
何《なに》かの理由《りゆう》で…
物盗《ものと》りの犯行《はんこう》に
見《み》せたかったんじゃ
ないのかい？
父《ちち》の時計《とけい》はかなり
高価《こうか》だったから…
フン、誰《だれ》だか
知《し》らねーが
せこい奴《やつ》だぜ…
まあ、犯行《はんこう》が
絶対不可能《ぜったいふかのう》な
オレには関係《かんけい》のない
話《はなし》だがな…
──と
いいますと？
オレはその頃《ころ》
沖縄《おきなわ》にいたんだよ！
会社《かいしゃ》の出張《しゅっちょう》でな!!
その証拠《しょうこ》に、オレは
那覇《なは》から出《で》る一番《いちばん》の便《びん》で
三時間前《さんじかんまえ》に羽田《はねだ》に
着《つ》いたばかりだ!!
こっちから向《む》こうに行《い》く
最終便《さいしゅうびん》は午後《ごご》8時《じ》…
犯行時刻《はんこうじこく》の昨夜《ゆうべ》の11時半《じはん》に
この伊豆《いず》の別荘《べっそう》にいるのは
とても無理《むり》だぜ？
ウソだと思《おも》うんなら
飛行機《ひこうき》の乗客名簿《じょうきゃくめいぼ》でも
調《しら》べてみるんだな…
確認《かくにん》
急《いそ》げ!!
ハッ!!
……
まてよ…
確《たし》か、
昨日《きのう》
沖縄《おきなわ》は…

ちょっと刑事《けいじ》さん…
ん?
アリバイといえるかどうかわかりませんが…
実《じつ》は昨夜《ゆうべ》、メッセージを入《い》れたんですよ…
この別荘《べっそう》の留守番電話《るすばんでんわ》に…
留守番《るすばん》電話《でんわ》…?
只今《ただいま》外出《がいしゅつ》しております…
ご用件《ようけん》のある方《かた》はピーという発信音《はっしんおん》の後《あと》にメッセージを…
ピーッ
今《いま》、何時《なんじ》?
3時《じ》10分《ぷん》ですけど…
おっかしーなー…
3時《じ》には着《つ》いてるはずなのに…
プルルッ
午後《ごご》3時《じ》10分《ぷん》です…
コレですか?
い、いやこれは…
あ、コレ僕《ぼく》です!
昨日《きのう》の昼間《ひるま》、浜辺《はまべ》から携帯電話《けいたいでんわ》で入《い》れたんです!!
時間《じかん》を答《こた》えてるのわたしですから間違《まちが》いないです!
ピーッ
もしもし太一《たいち》です…
あ、コレが私《わたし》のです…

よかったな、ファルコンズがサヨナラ勝《が》ちして…
やっぱり6回裏《かいうら》に出《で》た木暮《こぐれ》の一発《いっぱつ》がきいたな…あのライトスタンドにひっぱって運《はこ》んだ同点《どうてん》ホームラン！
父《とう》さんのいうとおり木暮《こぐれ》はたいしたバッターだよ…
じゃあ明日《あした》そっちへ行《い》くから…雄三《ゆうぞう》の嫁《よめ》さんを楽《たの》しみにしてるよ…
プツッ
午後《ごご》11時《じ》34分《ぷん》です…
11時《じ》34分《ぷん》…犯行《はんこう》のあった頃《ころ》か…
なんだ、兄《あに》キも観《み》てたのか…あの9対《たい》8の派手《はで》な試合《しあい》!!
ああ…大阪《おおさか》のマンションで原稿《げんこう》を書《か》きながらな…
犯行時刻《はんこうじこく》は11時半頃《じはんごろ》にまちがいないんですか？
は、はい…犯人《はんにん》を見《み》る少《すこ》し前《まえ》に時計《とけい》を見《み》ましたから…
11時《じ》34分《ぷん》っていったら、逃《に》げた犯人《はんにん》をわたし達《たち》が追《お》いかけてた頃《ころ》だと思《おも》います…
ね？コナン君《くん》!!
う、うん…

でも、留守番電話《るすばんでんわ》の時計《とけい》なんていくらでもごまかせるんじゃなー――い？
ですが今《いま》の時刻《じこく》はあってますよ…
それに、その前《まえ》に入《はい》っていた雄三《ゆうぞう》さんのメッセージの時刻《じこく》も正確《せいかく》のようですし…
フン、どーみても兄《あに》キは犯人《はんにん》じゃねーよ…
だってそーだろ？あの試合《しあい》は衛星放送《えいせいほうそう》でしかやってなかったんだ!!
おまけに試合《しあい》が終《お》わったのは11時《じ》25分過《ふんす》ぎ…その段階《だんかい》じゃあどのTV局《テレビきょく》のスポーツニュースもやってなかったぜ？試合《しあい》を観《み》てないかぎり結果《けっか》はわからねーよ！
やけに詳《くわ》しいですね…？
ああ！もう一度《いちど》木暮《こぐれ》のホームランが観《み》たくてチャンネルを変《か》えてたから知《し》ってんだよ！
そしてこの家《いえ》の衛星放送《えいせいほうそう》のチューナーはぶっ壊《こわ》れてて、この近《ちか》くであの試合《しあい》が観《み》れたのは…
となりのあんたらの別荘《べっそう》だけだ…
なるほど…11時半《じはん》にここにいた犯人《はんにん》に、あの試合《しあい》は観《み》られないという事《こと》か…
まあ、そういうこった！
あなたが電話《でんわ》で教《おし》えたんじゃないの？
オレが兄《あに》キに？バー――カ！そんな事《こと》してたんなら自分《じぶん》からあの試合《しあい》を観《み》てたなんていうかよ…

とにかくTV局《テレビきょく》に放送番組《ほうそうばんぐみ》の確認《かくにん》を!!
ハッ!!
あ、ラジオ局《きょく》も忘《わす》れずに!!
おいおい、じゃーなにか？犯人《はんにん》が私《わたし》でもおまえでもないとしたら……
ああ…犯人《はんにん》は昨夜《ゆうべ》ずっとここにいた…
雄三《ゆうぞう》しか考《かんが》えられねぇな!!
に、兄《にい》さん…
ち、ちがう、僕《ぼく》は殺人《さつじん》なんて…
ではお聞《き》きしましょうか？昨夜《きくや》11時半頃《じはんごろ》のあなたのアリバイを…
？アリバイっていわれても…ずっとアトリエにこもってましたから…
そ、そーいえば昨夜《ゆうべ》電話《でんわ》で友人《ゆうじん》のイラストレーターに起《お》こしてもらいました!!
時間《じかん》は11時半過《じはんす》ぎだと思《おも》います!!

電話《でんわ》で起《お》こしてもらった？
は、はい…9時半《じはん》から11時半《じはん》まで仮眠《かみん》をとったんです！
徹夜《てつや》で仕上《しあ》げなきゃいけない仕事《しごと》があったんで……
じゃーその人《ひと》に確認《かくにん》をとればアリバイは完璧《かんぺき》ね…
フンそいつとつるんで口裏《くちうら》を合《あ》わせているんじゃねーのか？
な、なによー！
横溝《よこみぞ》刑事《けいじ》!!
ん？
実《じつ》はさっきの乗客名簿《じょうきゃくめいぼ》の事《こと》なんですが…
なに!?
………
な、なんだよ？あったんだろ？乗客名簿《じょうきゃくめいぼ》にオレの名前《なまえ》が…
確《たし》かにありましたよ、あなたの名前《なまえ》はね……
だったらいーじゃねーか!!
問題《もんだい》は飛行機《ひこうき》が着《つ》いた時間《じかん》ですよ……
じ、時間《じかん》…!?

今《いま》から30分前《ぷんまえ》なんですよ!!
あなたが乗《の》っているはずの
飛行機《ひこうき》が羽田《はねだ》に
到着《とうちゃく》したのはね!!
バ、バカな…
だってあの飛行機《ひこうき》は…
きっと台風《たいふう》で遅《おく》れちゃったんだよ!
そーいえば昨夜《ゆうべ》ニュースでいってたわね…
羽田《はねだ》から伊豆《いず》までどんなに急《いそ》いでも三時間《さんじかん》はかかる…なのになぜ、あなたはここにいるんですか?
そ、それは…
ちなみに国内線《こくないせん》のチケットのチェックは国際線《こくさいせん》に比《くら》べてはるかに甘《あま》い!!
あなたの名前《なまえ》でチケットをとって別《べつ》の人間《にんげん》を代役《だいやく》にたてるのは簡単《かんたん》だ!!
さぁ…教《おし》えてもらいましょうか?昨夜《ゆうべ》あなたがいた本当《ほんとう》の場所《ばしょ》を…
さあ…
………
と…
東京《とうきょう》だよ…

ああそうだ!! オレは代役《だいやく》をたてて昨夜《ゆうべ》一足先《ひとあしさき》にこっちに戻《もど》って来《き》たんだよ!!
東京《とうきょう》の浩美《ひろみ》のところにな!!
浩美《ひろみ》…？
オ、オレの婚約者《こんやくしゃ》だよ…
二日前《ふつかまえ》に急《きゅう》に倒《たお》れたって聞《き》いたんだ…だから心配《しんぱい》でこっちへ…
幸《さいわ》い彼女《かのじょ》はただのカゼだったけど…
彼女《かのじょ》のために仕事《しごと》を放《ほう》り出《だ》した事《こと》がおやじにバレたらまずいと思《おも》って、会社《かいしゃ》の同僚《どうりょう》を代役《だいやく》にたてて昨日《きのう》までオレが沖縄《おきなわ》にいたように装《よそお》ったんだ…
おやじはオレ達《たち》の結婚《けっこん》に反対《はんたい》してたからな…
じゃあ、あなたは昨夜《ゆうべ》その女性《じょせい》の家《いえ》に…？
ああ!! これは本当《ほんとう》だ! 信《しん》じてくれ!!
ひ、浩美《ひろみ》だ!! 昨夜《ゆうべ》あいつとTV《テレビ》で野球《やきゅう》を観《み》てたから…
でも、口裏《くちうら》を合《あ》わせているかもしれないわよね…
園子《そのこ》…
それを証明《しょうめい》できる人《ひと》は…？
そ、そうだ、オレさっきあの試合《しあい》の結果《けっか》、昨夜《ゆうべ》の11時半頃《じはんごろ》まだTV《テレビ》じゃやってなかったっていってたよな!?
そんな事《こと》TV《テレビ》の前《まえ》にいないとわかるわけが…

その人《ひと》のいっている事《こと》は本当《ほんとう》です!!横溝刑事《よこみぞけいじ》!!
ん?
TV《テレビ》もラジオもその試合結果《しあいけっか》を報《ほう》じたのは午前《ごぜん》0時《じ》をまわってからが最初《さいしょ》だそうです…
そらみろ!!
ちなみにこの辺《あた》りで衛星放送《えいせいほうそう》に加入《かにゅう》してるのはこの二軒《にけん》だけで…
犯行前《はんこうまえ》にあの試合《しあい》を観《み》てここに来《く》るのは不可能《ふかのう》かと…
ラジオで聴《き》いてたんじゃないの?ホラ、あるじゃないラジオでTV《テレビ》の音《おと》が聴《き》けるヤツ!!
衛星放送《えいせいほうそう》はラジオじゃ聴《き》けないいんですよ…
つまり犯行時刻《はんこうじこく》にTV《テレビ》で試合《しあい》を観《み》ていた…
達二《たつじ》さんと太一《たいち》さんには犯行《はんこう》は不可能《ふかのう》という事《こと》になり…
残《のこ》る容疑者《ようぎしゃ》は雄三《ゆうぞう》さんただ一人《ひとり》に…
そ、そんな…
ゆ、雄三《ゆうぞう》さん…

ねえねえもしかしておじさん木暮選手《こぐれせんしゅ》のファン?
ん?
だって電話《でんわ》で木暮選手《こぐれせんしゅ》の事《こと》ほめてたじゃない!!
すごいよね、あんな球《たま》、ライトに流《なが》してホームランできるの、
木暮選手《こぐれせんしゅ》しかいないもんね!!
!?
な、流《なが》した?
ええ…昨日《きのう》のホームランは木暮《こぐれ》のライトに流《なが》したヤツでしたけど…
ど、どーいう事《こと》です、太一《たいち》さん!!
あなた確《たし》か電話《でんわ》じゃ、木暮《こぐれ》はひっぱったって…
あなた、本当《ほんとう》に観《み》てたんですか?あの試合《しあい》を!!
……
フッ…
やはりウソがバレましたか…
え?

じゃ、じゃあまさかあなたが父親《ちちおや》を…
とんでもない…私《わたし》がバレたといってるのは、あの試合《しあい》をTV《テレビ》で観《み》てなかったという事《こと》ですよ！
聴《き》いてたんですよ、試合終了《しあいしゅうりょう》までラジオで…
パチンコをやりながらね!!
パ、パチンコ屋《や》で？
小説《しょうせつ》の仕事《しごと》につまってたから気《き》ばらしに…
私《わたし》の原稿《げんこう》をまってる編集《へんしゅう》をごまかすためによく使《つか》うんですよこの手《て》を…
ずっと部屋《へや》のTV《テレビ》の前《まえ》で仕事《しごと》をしてたってね！
だからついいつものクセで…
では大阪《おおさか》じゃラジオであの試合《しあい》をやっていたと？
た、確《たし》かに大阪《おおさか》で一局《いっきょく》だけあの試合《しあい》を流《なが》してます…
それに犯行《はんこう》のあった頃《ころ》、私《わたし》は留守番電話《るすばんでんわ》にメッセージを入《い》れているんだよ？
これ以上《いじょう》のアリバイはないと思《おも》うがね…
た、確《たし》かにそうですが…
………
誰《だれ》だ…
誰《だれ》かがウソをついている…

あの三人《さんにん》の内《うち》の…
誰《だれ》かが…
それにしてもひっかかるのは被害者《ひがいしゃ》の腕《うで》から外《はず》されていた時計《とけい》…
なんであんな物《もの》犯人《はんにん》が…
時間《じかん》を知《し》られたくなかったから…？
それとも…………
あれ？ このビデオ点滅《てんめつ》してるぞ…
ああ…昨夜《ゆうべ》11時半《じはん》から10分間《ぶんかん》停電《ていでん》したから、そのせいだよ！
あ、そっか…犯行《はんこう》のある少《すこ》し前《まえ》に停電《ていでん》したんだっけ…
そうそう、オレん家《ち》風呂屋《ふろや》でよー大変《たいへん》だったんだよ…
停電《ていでん》…？
まあ、閉《し》める直前《ちょくぜん》で客《きゃく》が少《すく》なくて助《たす》かったっていってたけど…

まてよ おかしいぞ!!
あの人《ひと》の いってる事《こと》は 不可能《ふかのう》だ!!!
それに あの時間《じかん》 あそこは…
…だとしたら 被害者《ひがいしゃ》の腕《うで》から 外《はず》されてた あの時計《とけい》は…
まさか…
!?
そうか… まちがい ない…
犯人《はんにん》は 二《ふた》つもウソを ついている…
あの人《ひと》 だ!!!

FILE《ファイル》.4
哀《かな》しき兄弟《きょうだい》の絆《きずな》

では、とりあえず三人《さんにん》とも署《しょ》まで来《き》てもらいましょうか…
そ、そんな…
おい冗談《じょうだん》じゃねーぞ!!
なぜ私《わたし》まで……?
仕方《しかた》ないじゃないですか…
昨夜《ゆうべ》の11時半頃《じはんごろ》犯行《はんこう》を終《お》えた直後《ちょくご》の犯人《はんにん》の顔《かお》を、この方達《かたたち》が目撃《もくげき》してるんですよ?
あなた方《がた》、三兄弟《さんきょうだい》にそっくりな顔《かお》を!!
つまり、あなた方《がた》三人《さんにん》の中《なか》にいるんですよ、あなた方《がた》の父親《ちちおや》をこの伊豆《いず》の別荘《べっそう》で殺害《さつがい》した犯人《はんにん》がね!!
ちょっとまってくださいよ…

いったじゃないですか、犯行《はんこう》があった頃《ころ》、私《わたし》は大阪《おおさか》のパチンコ屋《や》にいたって…
それに私《わたし》はその時《とき》、ここの留守番電話《るすばんでんわ》に伝言《メッセージ》を入《い》れてるし…
オ、オレだって東京《とうきょう》のマンションにいたぜ?
婚約者《こんやくしゃ》の浩美《ひろみ》といっしょにな!
僕《ぼく》もここから1キロ先《さき》のアトリエにちゃんといましたよ!!
それは11時半過《じはんす》ぎに電話《でんわ》をしてきた僕《ぼく》の友人《ゆうじん》が証明《しょうめい》してくれるはずです!!
しかし、あなた方《がた》のいう事《こと》はコロコロ変《か》わりますからね――…
まだ犯人《はんにん》が特定《とくてい》できない以上《いじょう》、三人《さんにん》とも署《しょ》まで来《き》てじっくり話《はなし》を聞《き》かせてもらわないと…
いや…犯人《はんにん》はわかってる…
アリバイでおかしな事《こと》をいってる…
あの人《ひと》にまちがいない!!
お――し、この時計型麻酔銃《とけいがたますいじゅう》で園子《そのこ》を眠《ねむ》らせて…
探偵役《たんていやく》になってもらうとするか…
ピピピ

なにやってんの
コナン君《くん》？
え？
ちょっとなによ
この時計《とけい》…？
あ、
これは…
なになに
どーしたの？
コナン君《くん》が
変《へん》な時計《とけい》で
園子《そのこ》を狙《ねら》ってた
のよ！
え——…
オ、オモチャ
だよ!!
あ、阿笠博士《あがさはかせ》に
もらったんだよ！
ボタン押《お》すと
銀玉《ぎんだま》が出《で》るヤツ…
も——
いたずらっ子《こ》
なんだから…
ボ、ボク
ちょっと
トイレ…
——と
見《み》せかけ
て…
園子《そのこ》を…

コナン君《くん》？
え？
いいかげんにしなさいよ!!
え？また、わたしを狙《ねら》ってたの？
そうなのよ………
この子《こ》わたしの事《こと》が好《す》きなのかな———…？
んなバカな…
その時計《とけい》お姉《ねえ》ちゃんに渡《わた》しなさい!!
くそっ、しゃーねーな…蘭達《らんたち》に推理《すいり》してもらうか…
ねえ！おかしいと思《おも》わない？
なにがよ？
ホラ、ボク達《たち》が犯人《はんにん》を見《み》るちょっと前《まえ》に停電《ていでん》したでしょ？
え、ええ…
11時半《じはん》から10分《ぷん》ぐらい…
だったらあの人《ひと》がいってる事《こと》おかしくなーい？
あの人《ひと》……？
!?

そーいえば、雄三《ゆうぞう》さん昨夜《ゆうべ》の11時半過《じはんす》ぎに電話《でんわ》してもらったっていってたわよね？
う、うん、友達《ともだち》に電話《でんわ》で起《お》こしてもらったって…
ねえ…停電中《ていでんちゅう》に電話《でんわ》って通《つう》じると思《おも》う？
無理《むり》なんじゃない…
じゃーー犯人《はんにん》はまさか雄三《ゆうぞう》さん？
そ、そんな…
やっぱこいつらじゃ無理《むり》か…
パシュ
プス
ズル
そ、園子《そのこ》？
後《あと》はこの変声機《へんせいき》で園子《そのこ》の声《こえ》を…
ちょっと園子《そのこ》ぉ!!
ザ

わかったのよ…今《いま》のコナン君《くん》の一言《ひとこと》で…
？
犯人《はんにん》はあの人《ひと》だって事《こと》がね!!
え？
おいおいねーちゃん！
まさか犯人《はんにん》はオレだっていってんじゃねーだろーな？
いっただろ？オレは犯行《はんこう》があった頃《ころ》、TV《テレビ》でスポーツニュースをやってなかったのを知《し》ってるって…
フン、そんな事《こと》新聞《しんぶん》でTV《テレビ》欄《らん》を見《み》れば予想《よそう》はつくわ…
それに、あなたが婚約者《こんやくしゃ》といっしょにいたっていうのも、その人《ひと》と口裏《くちうら》を合《あ》わせれば工作《こうさく》できる…
雄三《ゆうぞう》さんがいってた友人《ゆうじん》の電話《でんわ》も同《おな》じ事《こと》…
そして、パチンコ屋《や》にいたという太一《たいち》さんには証人《しょうにん》はいない…
そう…三人《さんにん》の中《なか》で確実《かくじつ》なアリバイがある人《ひと》は一人《ひとり》もいないわ…
でも…

一人《ひとり》だけ明《あき》らかにウソをついてる人《ひと》がいる…
犯人《はんにん》はまちがいなくその人《ひと》よ!!
ウ、ウソ…ですか?
ハン!ガキが何《なに》いってんだ!?
まあ聞《き》こうじゃないか、おもしろい…
確《たし》かに昨夜《ゆうべ》、大阪《おおさか》のパチンコ屋《や》で私《わたし》の姿《すがた》を覚《おぼ》えている人《ひと》はいないかもしれない…
だが、私《わたし》は偶然《ぐうぜん》にも犯行時刻《はんこうじこく》の11時《じ》34分《ぷん》にここの留守番電話《るすばんでんわ》に伝言《メッセージ》を入《い》れてるんだよ?
しかもメッセージの内容《ないよう》は犯行時刻《はんこうじこく》の直前《ちょくぜん》まで大阪《おおさか》のラジオで中継《ちゅうけい》していた野球《やきゅう》の結果《けっか》…
その中継《ちゅうけい》はラジオじゃ大阪《おおさか》でしかやってなかったし、TV《テレビ》じゃ衛星放送《えいせいほうそう》だ、チューナーが壊《こわ》れてたこの別荘《べっそう》じゃ観《み》れやしない…
8
私《わたし》は大阪《おおさか》のパチンコ屋《や》でラジオ中継《ちゅうけい》を聴《き》いて野球《やきゅう》の結果《けっか》を知《し》ったんだ…犯行時刻《はんこうじこく》にここにいてその結果《けっか》を知《し》るのは無理《むり》だと思《おも》うがね…
ああ!本当《ほんとう》に11時半《じはん》にパチンコ屋《や》で?
フフフ、知《し》らないの?

決《き》まってるのよ?
パチンコ屋《や》は、遅《おそ》くても夜《よる》11時《じ》までしかやっちゃいけないってね!!
え?
そ、そういえば…
夜《よる》11時以降《じいこう》のパチンコ屋《や》の営業《えいぎょう》は、基本的《きほんてき》に条例《じょうれい》で禁止《きんし》されている…
もちろん大阪《おおさか》も…
つまり、あなたがいっている事《こと》はまっかなウソだという事《こと》になりますね…
あ、ああそうか!勘違《かんちが》いしていた…
あれを聴《き》いたのはパチンコ屋《や》から帰《かえ》る途中《とちゅう》のタクシーの中《なか》だった…
本当《ほんとう》に…?
や、やだなー刑事《けいじ》さん…
ただのいいまちがいですよ…
だいいち、私《わたし》は犯行《はんこう》があった頃《ころ》に留守番電話《るすばんでんわ》に伝言《メッセージ》を入《い》れているんですよ?
あれはどう説明《せつめい》を…
フッ…
そんなの簡単《かんたん》よ…

この別荘《べっそう》に潜《ひそ》んで野球中継《やきゅうちゅうけい》を聞《き》いていたあなたは、試合《しあい》が終《お》わると同時《どうじ》にあらかじめ時計《とけい》を進《すす》ませておいた留守番電話《るすばんでんわ》に伝言《メッセージ》を入《い》れたのよ!!
よかったな、ファルコンズがサヨナラ勝《が》ちして…
丁度《ちょうど》、犯行時刻《はんこうじこく》に伝言《メッセージ》を入《い》れたかのように見《み》せかけるためにね!!
後《あと》は、その時計《とけい》を元《もと》に戻《もど》して父親《ちちおや》がここに帰《かえ》って来《く》るのをまつだけ…
衛星放送《えいせいほうそう》のチューナーが壊《こわ》れていたせいでとなりのわたしの別荘《べっそう》に野球《やきゅう》を観《み》に来《き》ていた父親《ちちおや》をね!
そして、帰《かえ》って来《き》たところを石《いし》で撲殺《ぼくさつ》したのよ!
犯行時刻《はんこうじこく》をわたし達《たち》にわからせるためにわざわざ玄関先《げんかんさき》を選《えら》んでね…
だから——
いってるだろ? 私《わたし》にはあの野球中継《やきゅうちゅうけい》を観《み》る事《こと》も聴《き》くこともできなかったって…
それに、ここに潜《ひそ》んだままいつ、おやじが帰《かえ》って来《く》るかなんてわかるわけが…
いいや、あなたにはわかってたはずよ! わたしの別荘《べっそう》の中《なか》の様子《ようす》が手《て》にとるように…
10
盗聴機《とうちょうき》で聴《き》いてたのだから…
と、盗聴機《とうちょうき》?
ハハハ… 私《わたし》が君《きみ》の別荘《べっそう》に盗聴機《とうちょうき》を?
だったら今《いま》すぐ調《しら》べてくれよ、そんな物《もの》あるわけが…
誰《だれ》も家《いえ》の中《なか》に仕掛《しか》けたなんていってないわ…
ホラ、あるでしょ? 被害者《ひがいしゃ》の体《からだ》から不自然《ふしぜん》になくなった物《もの》が…

!?
と、時計《とけい》!?
そうか！時計《とけい》に盗聴機《とうちょうき》を仕掛《しか》けていれば、
被害者《ひがいしゃ》の様子《ようす》も、野球中継《やきゅうちゅうけい》も同時《どうじ》に知《し》る事《こと》ができる…
犯行後《はんこうご》、時計《とけい》を外《はず》したのは証拠《しょうこ》を残《のこ》さないためですね？
ええそうよ!!
被害者《ひがいしゃ》の時計《とけい》に盗聴機《とうちょうき》を仕掛《しか》ける事《こと》も、
この別荘《べっそう》の衛星放送《えいせいほうそう》のチューナーを壊《こわ》して、わたしの別荘《べっそう》に被害者《ひがいしゃ》が野球《やきゅう》を観《み》に来《く》るようにしむける事《こと》も……
被害者《ひがいしゃ》の息子《むすこ》であるあなたなら容易《ようい》にできるはずよ！
フフフ…大《たい》した推理《すいり》だよ、お嬢《じょう》さん…私《わたし》が書《か》く小説《しょうせつ》の参考《さんこう》にしたいぐらいだ…
だが、しょせん君《きみ》のは三文小説《さんもんしょうせつ》…証拠《しょうこ》がない!!
あるのかい？私《わたし》が留守番電話《るすばんでんわ》の時計《とけい》をいじったという証拠《しょうこ》が？
留守番電話《るすばんでんわ》の現在時刻《げんざいじこく》は合《あ》ってるし、
昨日《きのう》の昼間《ひるま》、雄三《ゆうぞう》が入《い》れた伝言《メッセージ》でも時間《じかん》は正確《せいかく》だった…
誰《だれ》も時計《とけい》をいじってないと考《かんが》えた方《ほう》が自然《しぜん》だよ…
証拠《しょうこ》もないのにそんなごたくを並《なら》べられても…
なにいってるの？

あるに決《き》まってるじゃない!!
あなたが犯《おか》した隠《かく》しきれない決定的《けっていてき》な証拠《大ウソ》がね…
な、
なんだと!?
あなたも現場《げんば》にいたんだから知《し》ってるはずよ! 昨夜《ゆうべ》11時半《じはん》から10分間停電《ぶんかんていでん》したのを!!
て、停電《ていでん》?
わかるでしょ? 停電《ていでん》したら留守番電話《るすばんでんわ》がどうなるかって事《こと》ぐらい…
!?

そうよ！停電《ていでん》したら留守番電話《るすばんでんわ》は作動《さどう》しない!!
内蔵《ないぞう》の電池《でんち》で時計《とけい》は動《うご》いても、伝言《メッセージ》を録音《ろくおん》する事《こと》はできないわ!!
なのになんであなたの伝言《メッセージ》が11時《じ》34分《ぷん》に入《はい》っていたのかしら？
だ、だがそれをいうなら…
雄三《ゆうぞう》だって同《おな》じ事《こと》だ!!
11時《じ》半過《はんす》ぎに電話《でんわ》をもらったという雄三《ゆうぞう》だってウソを…
あなた…なーんにも知《し》らないのね…
たとえ停電中《ていでんちゅう》であっても、通話《つうわ》だけはできるのよ！
バ、バカな…
それは本当《ほんとう》です！通話《つうわ》に必要《ひつよう》な電力《でんりょく》だけは、電話線《でんわせん》からもらってますからね…
し、しかしそれは誰《だれ》かが私《わたし》をはめるためにワザと時間《じかん》を…
フン、いつかかってくるかわからないあなたの電話《でんわ》を犯行時刻《はんこうじこく》に合《あ》わせて都合《つごう》よく録音《ろくおん》できるわけないじゃない！
つまり…

あなたがアリバイ工作《こうさく》のためにわざわざズラした留守番電話《るすばんでんわ》の時間《じかん》が…
逆《ぎゃく》にあなたが犯人《はんにん》だという事《こと》を証明《しょうめい》しているのよ!!
………
に、兄《にい》さん…
ウ、ウソだろ兄《あに》キ…?
そうだよ、これは何《なに》かのまちがいだ!!
兄《にい》さんが父《とう》さんを殺《ころ》す理由《りゆう》なんて何《なに》も…
よせよ雄三《ゆうぞう》…
私《わたし》はおまえが思《おも》っているほど立派《りっぱ》な兄《あに》じゃない…
金《かね》だよ…おやじの遺産金《いさんきん》がほしかったんだ…
小説家《しょうせつか》を続《つづ》けるためにな…

に、兄《にい》さん…
最近《さいきん》苦《くる》しかったんだ…急《きゅう》に仕事《しごと》が減《へ》って金《かね》も尽《つ》きてきて…
やむなくおやじに金《かね》を援助《えんじょ》してもらおうと相談《そうだん》にいったらわかったよ…
父《ちち》が出版社《しゅっぱんしゃ》に圧力《あつりょく》をかけて私《わたし》に来《く》る仕事《しごと》を次々《つぎつぎ》とつぶしてたという事《こと》がね…
ええ!?
どーやら、おやじは私《わたし》に小説家《しょうせつか》をやめさせて跡《あと》を継《つ》がせたかったらしい…
だから父親《ちちおや》を…
ああ…おやじが雄三《ゆうぞう》の嫁《よめ》に会《あ》いにこの別荘《べっそう》に来《く》るこの日《ひ》を利用《りよう》して殺《ころ》したんだ…
あらかじめおやじに盗聴機付《とうちょうきつ》きの時計《とけい》を贈《おく》ったのも、この別荘《べっそう》のチューナーを壊《こわ》したのも、そのため…
雄三《ゆうぞう》……私《わたし》はあわよくばおまえに罪《つみ》がかかればいいとまで思《おも》っていたんだよ…
え…?
おやじの遺産《いさん》の取《と》り分《ぶん》を増《ふ》やすためにな…
すべては好《す》きな小説《しょうせつ》を一生書《いっしょうか》き続《つづ》けたかったから…

だが最後《さいご》に私《わたし》は…
ヘタなミステリーを書《か》いてしまったようだ…
まさかあそこで停電《ていでん》するとはな…
ガチャ
事実《じじつ》は小説《しょうせつ》より奇《き》なりとはよくいったもんだ…
………
やはり私《わたし》には小説家《しょうせつか》の才能《さいのう》が…
なかったのかもしれないな…

ゴオオオ…
ボッ
どうしたんだろ園子《そのこ》、ボーっとしちゃって…
きっと雄三《ゆうぞう》さんが犯人《はんにん》じゃなかったからホッとしてんだよ…
やべーなー腕《うで》を気《き》にしてる…
まさか腕《うで》に麻酔針《ますいばり》を撃《う》ったの気《き》づいてねーだろーな…
は――…
失敗《しっぱい》したな――…
え?
なにいってんのよ、名推理《めいすいり》だったじゃない!
推理《すいり》…?
ホラ、見《み》てよこの腕《うで》!
ゲッ

真《ま》っ白《しろ》でしょ?
せーっかく伊豆《いず》で日焼《ひや》けして男《おとこ》をひっかけよーって思《おも》ってたのに…
計画《けいかく》が台無《だいな》しよ!
へ?
ハハハ…
あ、そうだ蘭《らん》!

これから日焼《ひや》けサロンに行《い》かない?
え?
ダメよ園子《そのこ》!これから一応警察《いちおうけいさつ》で事情聴取《じじょうちょうしゅ》あるんだから…
えーなによそれー?
ハハハ…めでてー奴《やつ》…

FILE《ファイル》.5 落《お》ちる死体《したい》

──花岡《はなおか》デザイン事務所《じむしょ》──
ザーー
ザーー
ええっ!?
デザイン事務所
有限会社 山本商会
殺人現場《さつじんげんば》の画集《がしゅう》!?
あれ? いってませんでした?
来月《らいげつ》、出《だ》されるんですよ、画家《がか》でありこのデザイン事務所《じむしょ》の社長《しゃちょう》でもある花岡先生《はなおかせんせい》がね!
発売前《はつばいまえ》から評判《ひょうばん》になってますよ! 殺伐《さつばつ》とした殺人現場《さつじんげんば》とポップアートのミスマッチがいいって…
今日《きょう》お呼《よ》びしたのは先生《せんせい》と、名探偵《めいたんてい》である毛利《もうり》さんとの対談《たいだん》を画集《がしゅう》の巻末《かんまつ》に入《い》れようと思《おも》いまして…
た、対談《たいだん》…?
ぷっ

どうかしたんですか?
だって――お父《とう》さん「オレをモデルにした画集《がしゅう》が出《で》る」ってはりきってたんだもん!
そーんなわけないと思《おも》ったのよねー コナン君《くん》?
うん!
フン、悪《わる》かったな…
で? その、えれー先生《せんせい》はどこにいるんだ?
それがまだ来《こ》ないんですよ…
もしかしたらアトリエで寝《ね》ちゃってるのかも…
おいおい…
ザー
――米花第2マンション《べいかだい》――
ん?
ペタペタ

な、何《なに》やってんだ!?
あら起《お》きちゃった?
なんだコレ?
絵《え》の具《ぐ》か!?
花岡兼人《はなおかけんじん》(48)
画家《がか》
マニキュアよマニキュア!!
いい色《いろ》でしょ?今日《きょう》、発売《はつばい》されたのよ?
蝶野《ちょうの》いづみ(25)
イラストレーター
──ったく…
シャッ
それよりいいの?のんびりしてて…
5時《じ》にあのデザイン事務所《じむしょ》で会《あ》う約束《やくそく》してるんでしょ?
なんとかっていう探偵《たんてい》さんと…
花田デザイン事務所
あっ!まずい!
ホラ急《いそ》いで!
ちゃんとズボンと靴下《くつした》はかせといてあげたわよ!
だったらこんなイタズラするなよ!もし家内《かない》に見《み》られたら…
あら…だから付《つ》けたのよ?

そうすれば
あなたと奥《おく》さんとの
離婚《りこん》は成立《せいりつ》！
そして
私《わたし》とあなたは
晴《は》れていっしょに
なる事《こと》に…
な、
なにすんの
よ!?
いったはずだ…
おまえとの関係《かんけい》は
ビジネスだと…
私《わし》がおまえに仕事《しごと》と金《かね》を
与《あた》えるかわりに、おまえは
私《わし》の家庭《かてい》に口《くち》を出《だ》さない…
そのおかげで
おまえは好《す》きな
イラストが描《か》け、
こんな豪華《ごうか》な
マンションに
住《す》めてるん
だろ？
いったい
何《なん》の不満《ふまん》があるって
いうんだ？
バラす
わよ…
フン！
家内《かない》は
うすうす
感《かん》づいて
いるさ…
黙認《もくにん》って
やつだ…
今《いま》さらおまえに
何《なに》をいわれても
動《どう》じるような
女《おんな》じゃ…
フッ…
私達《わたしたち》の事《こと》じゃ
ないわ…

絵《え》の事《こと》よ…
!?
現在《げんざい》、あなたが発表《はっぴょう》している作品《さくひん》の60%《パーセント》は私《わたし》が描《か》いてるってね!!
お、おい…
それが世間《せけん》に知《し》れれば、あなたの評価《ひょうか》はガタおち、
あなたの絵《え》は一枚《いちまい》も売《う》れなくなるわ…
かわりに私《わたし》のオリジナルの絵《え》の人気《にんき》が上《あ》がったりして…
フン! 新人《しんじん》のイラストレーターのいう事《こと》なんて誰《だれ》が信《しん》じるものか…
実際《じっさい》に半分《はんぶん》は私《わたし》が本当《ほんとう》に描《か》いてるし…
あら知《し》らなかったの?
ちゃんと印《しるし》が付《つ》けてあるのよ、私《わたし》が描《か》いた方《ほう》にはね…
な、なんだと!?
よく見《み》てごらんなさい! 私《わたし》が描《か》いた方《ほう》のあなたのサインの所《とこ》を…
花岡業人の世界

!?
HANAOKA
こ、
これは!?
それ、私《わたし》のサインよ!
カワイイでしょ♡
そのサイン…タッチを違《ちが》えて描《か》いてる私《わたし》のオリジナルの作品《さくひん》にもすべて入《い》れてあるわ…
だから見《み》る人《ひと》が見《み》れば、私《わたし》のサインだとすぐにわかるってわけ…
あなたが仕事《しごと》を増《ふ》やしてくれたおかげで、結構有名《けっこうゆうめい》になってきてるからね、私《わたし》のオリジナル…
今日《きょう》も徹夜《てつや》で一枚《いちまい》仕上《しあ》げたわ…
机《つくえ》の上《うえ》に乗《の》ってるから、後《あと》でバイク便《びん》で出版社《しゅっぱんしゃ》に送《おく》っといてね…
ガッ
ウフフ…どうあがいてもあなたは私《わたし》から逃《のが》れる事《こと》ができないのよ…

一生《いっしょう》ね・・・
くそっ！いつまでまたせる気《き》だ？
もう5時半《じはん》だぞ…
ダメだ！自宅《じたく》にはいないしアトリエも留守電《るすでん》になってる…
蝶野君《ちょうのくん》の所《ところ》にいるんじゃない？彼女《かのじょ》のイラスト今日《きょう》、締《し》め切《き》りだったし…
蝶野《ちょうの》…？
新人《しんじん》のイラストレーターですよ…
ホラ、あそこに見《み》えるマンションに住《す》んでるんです…
ホ――…

ハァ
ハァ
ハァ
ハァ
ハァ
ハァ
くそっ！なんてこった…
こんなつもりはなかった…
殺《ころ》すつもりは…
トゥルルル…
ハイ蝶野《ちょうの》です…只今《ただいま》外出《がいしゅつ》しております、ご用件《ようけん》のある方《かた》は…
……
ピーもしもし、花岡《はなおか》デザイン事務所《じむしょ》の田中《たなか》ですけど、蝶野君《ちょうのくん》？寝《ね》てるのか？
やっぱり彼女《かのじょ》の所《ところ》にもいないよ…
ガチャ

トゥルルル…
トゥルルル…
はい、花岡《はなおか》デザイン事務所《じむしょ》！
ガチャ…
もしもし？もしもし？
なんなんですか今《いま》の電話《でんわ》？
無言《むごん》のイタズラ電話《でんわ》ですよ！
ガチャ
あら、どーしたのコナン君《くん》？
うん…
あのマンションのベランダを見《み》てたんだよ！
こんなに雨《あめ》が降《ふ》ってるのに、
ふとん取《と》り込《こ》まないのかなーって…
ああ…アレさっきいってた蝶野君《ちょうのくん》の部屋《へや》だよ！
え？
やっぱり寝《ね》てんのかなー…

チッ
チッ
チッ
いくらなんでも遅《おそ》すぎる、悪《わる》いが帰《かえ》らせてもらうぞ!!
ガチャ
あ、ちょっと…
は、花岡先生《はなおかせんせい》!?
いや——すまん、すまんアトリエで寝入《ねい》ってしまって…
アトリエ？何度《なんど》も電話《でんわ》したんですけど…
一応《いちおう》そのベルで起《お》きたんだが、いろいろあって遅《おそ》くなってしまったんだ…
蝶野君《ちょうのくん》のイラストを編集部《へんしゅうぶ》に届《とど》けるバイク便《びん》の手配《てはい》とかしてたからな…
蝶野君《ちょうのくん》の…？
ああ…さっき電話《でんわ》したら彼女《かのじょ》も徹夜《てつや》で仕上《しあ》げて寝《ね》てたそうだ…
いや〜またせて申《もう》しわけない、毛利探偵《もうりたんてい》！
あら…？
どーしたんですか？そのツメ…
ツメ？

!?
もしかして
マニキュア…?
バ、バカなっ
絵《え》の具《ぐ》だよ
絵《え》の具《ぐ》!!
トイレで
おとしてくるとしよう…
あ、そうだ、
もしかしたら
蝶野《ちょうの》君《くん》から電話《でんわ》が
あるかもしれん!
かかって来《き》たら
私《わたし》に取《と》り次《つ》いでくれ…
心配《しんぱい》だよ、
なんか悩《なや》んでたようだから…
……
ガリ
ガリ
W.C
くそっ…
ガリ
ガリ
くそっ…
あら…
だから付《つ》けたのよ?
そうすれば、
奥《おく》さんとの
離婚《りこん》は成立《せいりつ》、
晴《は》れて私《わたし》と
あなたは
いっしょに…
あの女《おんな》
め…

トゥルル…
はい、花岡《はなおか》デザイン事務所《じむしょ》！
もしもし蝶野《ちょうの》ですけど……
ああ君《きみ》か！今《いま》、先生《せんせい》丁度《ちょうど》トイレに入《はい》ってるんだ、また後《あと》で…
ん？
ジャー
あ、まって今替《いまか》わるから…
花岡《はなおか》だ…
どうした？もう気分《きぶん》は直《なお》ったか？
なに？死《し》ぬだと!?
え？
ベランダ？飛《と》び降《お》りる？
お、おいバカなマネは…
あ…

ドシャ
と…
飛《と》び降《お》りた…!?
ちょ、蝶野君《ちょうのくん》が…
そ、そんな…
何《なに》してる、警察《けいさつ》だ!!
警察《けいさつ》に連絡《れんらく》しろ!!

ドシャ
転落死《てんらくし》したのは蝶野《ちょうの》いづみさん25歳《さい》…
花岡《はなおか》さん…あなたのデザイン事務所《じむしょ》に所属《しょぞく》するイラストレーターにまちがいありませんな?
はい…まだ新人《しんじん》でしたが、センスのあるいい子《こ》でした…
でも、さっき電話《でんわ》で「私《わたし》には才能《さいのう》がない…行《い》きづまったから死《し》ぬ」っていって、突然《とつぜん》ベランダから…
そこをみなさんが目撃《もくげき》したというわけですな?
は、はい…

ん？
コンタクト!?
まてよ…
確《たし》かこの人《ひと》…
ウーム、目撃者《もくげきしゃ》も大勢《おおぜい》いるし…
自殺《じさつ》で決《き》まりのようですな…
いやちがう…
これは他殺《たさつ》だ…
彼女《かのじょ》は落《お》ちる前《まえ》から死《し》んでたんだ!!そして誰《だれ》かに突《つ》き落《お》とされた…
となると怪《あや》しいのは…

電話《でんわ》で自殺《じさつ》を止《と》めようとしてたこの人《ひと》…
まさか共犯者《きょうはんしゃ》に突《つ》き落《お》とさせた!?
いや…彼女《かのじょ》が落下《らっか》する時《とき》ベランダには誰《だれ》もいなかった…
じゃーどーやって、突《つ》き落《お》としたっていうんだ!?
あんな離《はな》れたデザイン事務所《じむしょ》から…
花岡デザイン事務所
いったいどーやって!?

FILE《ファイル》.6
疑惑《ぎわく》の自殺《じさつ》

かわいそーに…
ザア
ザア
まだ若《わか》いと
いうのに…
自宅《じたく》の
マンションの
ベランダから
投身自殺《とうしんじさつ》とは…
目暮警部《めぐれけいぶ》!!
彼女《かのじょ》といっしょに
落《お》ちてきたという
この布団《ふとん》、
どーします?
一応鑑識《いちおうかんしき》に
まわしておけ!!
あの——
我々《われわれ》はこの後《あと》
どーすれば…
ああ…
蝶野《ちょうの》さんが
所属《しょぞく》する
デザイン事務所《じむしょ》の
方々《かたがた》でしたな…
とりあえず
事務所《じむしょ》で待機《たいき》
していてください…
用《よう》があれば
こちらから連絡《れんらく》を…
ねえ
おかしく
なー——い?
ん?
ホラ
見《み》てよ、
この人《ひと》の
目《め》!
目《め》?

コンタクトしてるよ？
バーカんなもん誰《だれ》だって…
でもこの人《ひと》、落《お》ちた時《とき》メガネしてたみたいだよ！
コンタクトしてメガネかける人《ひと》っていると思《おも》う？
た、確《たし》かに…
…という事《こと》はこのメガネは誰《だれ》かにかけさせられた物《もの》…つまり彼女《かのじょ》は誰《だれ》かに眠《ねむ》らされ、突《つ》き落《お》とされた…
もしくは落《お》とされた時《とき》にはすでに殺《ころ》されていたか…
まってくださいよ、彼女《かのじょ》は飛《と》び降《お》りる直前《ちょくぜん》まで私《わたし》と電話《でんわ》してたんですよ？
それに探偵《たんてい》さん、あなたも見《み》たでしょ？彼女《かのじょ》がベランダから飛《と》び降《お》りるのを…
あの時《とき》ベランダには、彼女以外《かのじょいがい》は誰《だれ》もいなかったよな？
ええ…
それにコンタクトを彼女《かのじょ》が使《つか》ってたなんて知《し》りませんでしたけど…
とにかく調《しら》べてみる必要《ひつよう》がありそうだな…
彼女《かのじょ》の部屋《へや》を…

ガチャ
なんだ…鍵《かぎ》が掛《か》かっとらんじゃないか…
カラン
ん？
なんだ？
クギか？
なんでこんな所《とこ》に…
ん？
ポウ

おい、蘭《らん》!! ちゃんとこのガキ見張《みは》ってろ!!
目暮警部《めぐれけいぶ》! ちょっとベランダに!!
ん?
ここか、彼女《かのじょ》が飛《と》び降《お》りたベランダは…
警部《けいぶ》ほらここ!
ん?
スリッパと携帯電話《けいたいでんわ》に…壊《こわ》れた植木鉢《うえきばち》…?
ウーーム…飛《と》び降《お》りる時《とき》に、これを踏《ふ》み台《だい》にして倒《たお》してしまったと考《かんが》えた方《ほう》が自然《しぜん》だが…
?
植木鉢《うえきばち》の破片《はへん》が排水口《はいすいこう》の方《ほう》に…
ん−…

こーらっ!!
わっ
ダメでしょ、うろちょろしちゃ!!
あ、ちょっと…
………
ニヤ
……コンタクトケースか…
どうやら彼女《かのじょ》のモノらしいな…
事務所《じむしょ》の人達《ひとたち》が知《し》らないという事《こと》は、最近使《さいきんつか》い始《はじ》めたという事《こと》か…
……となると気《き》になるのはあのメガネだが…
きっと付《つ》けてたのを忘《わす》れてたんですよ!自殺者《じさつしゃ》の精神状態《せいしんじょうたい》は錯乱《さくらん》してますからね!
考《かんが》えられん事《こと》もないが…
よーし遺書《いしょ》を捜《さが》せ!自殺《じさつ》なら遺書《いしょ》がどこかにあるかもしれん!!
ハッ!!

この部屋《へや》にはないみたいですね遺書《いしょ》…
ん？アルバムか…
なんだこの写真《しゃしん》は？
あ、それはこの前《まえ》事務所《じむしょ》のみんなで旅行《りょこう》した時《とき》に、彼女《かのじょ》が撮《と》った写真《しゃしん》です！
彼女《かのじょ》好《す》きだったんですよ…寝《ね》てる人《ひと》の体《からだ》にイタズラ書《が》きするのが…
この蝶《ちょう》の絵《え》を？
彼女《かのじょ》のサインなんです！蝶野《ちょうの》の蝶《ちょう》をあしらった…いつも自分《じぶん》の絵《え》には入《い》れてました…
最近人気《さいきんにんき》が上《あ》がってたんですよ彼女《かのじょ》のイラスト…
でもまさかこんな事《こと》になるなんて…
………
花岡兼人の世界

ウーーム この寝室《しんしつ》にも遺書《いしょ》はないか…
目暮警部《めぐれけいぶ》!! マニキュアが床《ゆか》にこぼれています!!
あ!
それ、今日《きょう》新発売《しんはつばい》されたマニキュアだと思《おも》います!
変《か》わった色《いろ》のが出《で》るって学校《がっこう》で評判《ひょうばん》になってたから…
フン! ガキが色気《いろけ》づきやがって…
いーじゃないそれぐらい!!
ねえ! コレもそーじゃない?
ホラ、このシーツにこぼれてるヤツ…
おお! まちがいないな…
…となると、彼女《かのじょ》は死《し》ぬ前《まえ》にこれを塗《ぬ》ってたという事《こと》か…
死化粧《しにげしょう》ってわけですな…
でも、あの女《おんな》の人《ひと》手《て》にも足《あし》にもそんなの塗《ぬ》ってなかったよ…
こんな色《いろ》を付《つ》けてたっていえば…

おじさんぐらいだよね？
ほ、本当《ほんとう》かね!?
ね！
は、はい…確《たし》か小指《こゆび》のツメに同《おな》じような色《いろ》が…
ぐ、偶然《ぐうぜん》ですよ!!
偶然《ぐうぜん》同《おな》じ色《いろ》の絵《え》の具《ぐ》が小指《こゆび》に付《つ》いただけですよ！
今朝《けさ》までアトリエで仕事《しごと》をしてましたから…
ではちょっと手《て》を…
そんな色《いろ》もうおとしてしまいましたよ…
アトリエとは？
ホラ、あそこですよ！
彼女《かのじょ》が落《お》ちるのを我々《われわれ》が見《み》た、あの事務所《じむしょ》の裏《うら》ですよ！
………
まちがいない…
犯人《はんにん》はこの人《ひと》だ…
でも彼女《かのじょ》が落《お》ちた時《とき》、この人《ひと》があの事務所《じむしょ》にいたのは確《たし》かだ…
しかもオレ達《たち》といっしょに…

くそ───
何《なに》かある
はずだ…
離《はな》れた位置《いち》から
彼女《かのじょ》を突《つ》き落《お》とせる
方法《ほうほう》が!!
ホラ
もう帰《かえ》るわよ、
コナン君《くん》!
やだよ〜〜〜
ボクまだ
ここにいたい
よ〜〜〜!!
コラ!
いう事《こと》
ききな
さい!!
パカッ
わっ
ん?
ポッ
ポッ
おかしいな…
あのケースからすると
彼女《かのじょ》のコンタクトは
ソフトレンズ…
だったら保存液《ほぞんえき》が
あるはずなのに、
冷蔵庫《れいぞうこ》に入《はい》ってたのは
洗浄液《せんじょうえき》だけ…
いったい
どこに…
ズル
ズル…

なに!? 怪《あや》しい男《おとこ》を見《み》かけただと!?
はい！ となりに住《す》んでいるこの方《かた》が見《み》たそうです！ 6時半頃《じはんごろ》この部屋《へや》に出入《ではい》りしてた不審《ふしん》な男《おとこ》を…
6時半《じはん》？ 彼女《かのじょ》が落《お》ちた時刻《じこく》じゃないか!!
その男《おとこ》の人相《にんそう》は!?
そーねー 目《め》がつってて まゆげが 垂《た》れてて…
あのー…
そうそう 丁度《ちょうど》この人《ひと》みたいな…
え？
こ、この男《おとこ》です!! まちがいありません!!!
な!?
は？
さてはきさまが犯人《はんにん》か!?
犯人《はんにん》？ バイク便《びん》の者《もの》ですけど…
バイク便《びん》？
ええ…バイクで小荷物《こにもつ》を指定《してい》の場所《ばしょ》から場所《ばしょ》へ運《はこ》ぶんです… さっき来《き》た時《とき》、原稿《げんこう》の預《あず》かり証《しょう》を置《お》き忘《わす》れちゃって…
じゃー 彼女《かのじょ》に会《あ》ったのかね？
いえ…

いつもは直接本人《ちょくせつほんにん》に原稿《げんこう》をもらうんですが、今日《きょう》はドアを開《あ》けたすぐ横《よこ》に置《お》いてあるから、6時半《じはん》きっかりに取《と》りに来てくれという事《こと》だったので…
だから彼女《かのじょ》には会《あ》ってませんけど…
これがその預《あず》かり証《しょう》です…
ん？
は、
花岡《はなおか》…？
バイク便《びん》の依頼主《いらいぬし》は花岡《はなおか》さん…
あなたになってますな？
どーいう事《こと》です？彼女《かのじょ》が落《お》ちた同時刻《どうじこく》にバイク便《びん》…？
なーんかひっかかりますな、花岡《はなおか》さん？
な、何《なに》いってんですか!!
私《わたし》は彼女《かのじょ》が電話《でんわ》で、絵《え》ができたっていうからバイク便《びん》でそれを編集部《へんしゅうぶ》に届《とど》ける手配《てはい》をしただけですよ…
彼女《かのじょ》、疲《つか》れてて様子《ようす》がおかしかったから、バイク便《びん》に応対《おうたい》しないですむ方法《ほうほう》をとったまでの事《こと》…

だいいち
彼女《かのじょ》が飛《と》び降《お》りた時《とき》、
私《わたし》はここから数十《すうじゅう》メートル
離《はな》れたデザイン事務所《じむしょ》に
いたじゃないですか!!
しかもその時《とき》、私《わたし》は
彼女《かのじょ》と電話《でんわ》で話《はな》してる…
彼女《かのじょ》からかかってきた
電話《でんわ》でね!!
その証人《しょうにん》は
毛利《もうり》さん…
ほかならぬ
あなただ!!
それとも
私《わたし》がこの男《おとこ》に頼《たの》んで
彼女《かのじょ》を突《つ》き落《お》とさせた
とでもいうんですか?
ええ!?
まあ…まあ…
………
考《かんが》えろ
考《かんが》えろ…
離《はな》れた場所《ばしょ》から
彼女《かのじょ》を突《つ》き落《お》とす
方法《ほうほう》を…
玄関《げんかん》に
落《お》ちていた
クギ…
ベランダで
壊《こわ》れていた
植木鉢《うえきばち》…
そして
なぜか、なくなってる
コンタクトの保存液《ほぞんえき》…
コンタクトレンズ
保存液
何《なに》かあるはずだ…
これらをつなぐ
何《なに》かが…
あなたが
ここへ来《き》た時《とき》、
何《なに》か変《か》わった事《こと》は
ありません
でしたか?
変《か》わった
事《こと》…?

そ、そーいえばドアが勢《いきお》いよく開《あ》きました…
ちょっと開《あ》けただけなのに勝手《かって》に…
え?
彼女《かのじょ》が開《あ》けたんじゃないのか?
ボクもそう思《おも》ったんですが誰《だれ》もいませんでしたよ…
クギが落《お》ちてただけで…
クギ?
ええ…チャリンって音《おと》がしたので見《み》たらクギでした…
その後《あと》、奥《おく》の方《ほう》から何《なに》かが壊《こわ》れるような音《おと》もしましたけど…
一応《いちおう》、声《こえ》をかけたんですが返事《へんじ》はなかったです……
ま、まてよ…
もしかしたら!!
ダッ
ガラッ

お、おいボウヤ…
パカッ
!?
しめた!!
グッ
植木鉢《うえきばち》の破片《はへん》でひっかかってる!!
お、おい…
シュル
シュル
シュル
シュル
シュル
!?

フッ…
読《よ》めたぜ
完全《かんぜん》に!!!
このトリックを
使《つか》えば、
彼女《かのじょ》を
自殺《じさつ》に見《み》せかけて
このベランダから
落《お》とす事《こと》ができる…
たとえあの人《ひと》が
何《なん》キロ離《はな》れて
いようとも…

FILE《ファイル》.7 花《はな》と蝶《ちょう》

そうか…
そう
だったんだ…
わかったぞ
犯人《はんにん》が使《つか》った
トリックが!!
まちがいない!
犯人《はんにん》はやはり
あの人《ひと》だ…
これを使《つか》えば
被害者《ひがいしゃ》を
投身自殺《とうしんじさつ》に
見《み》せかけて、
このベランダから
落《お》とす事《こと》が
できる…
たとえ
あの人《ひと》が…
ここから
何《なん》キロ離《はな》れて
いようと…
も…

2

てーーっ…
なにやってんだオメーは!? 鑑識《かんしき》の人《ひと》も困《こま》ってんだろ!?
ん? なんだこの釣《つ》り糸《いと》は?
あ、それは…
……
ねえ、その釣《つ》り糸《いと》見《み》て何《なに》か思《おも》いつかない?
ん?
その糸《いと》、このベランダの排水口《はいすいこう》の中《なか》にあったんだよ!
!?
そ、そういえば…
この近《ちか》くに釣具店《つりぐてん》がありましたよね?
え?
え、ええ…
そうか! 死《し》んだ蝶野《ちょうの》さんは、釣《つ》り好《ず》きだったんだ!
もしかしたら、自殺《じさつ》の本当《ほんとう》の原因《げんいん》は釣《つ》りに関係《かんけい》が…
……
パ

ズルッ
も、毛利《もうり》さん？
やっぱこの時計型麻酔銃《とけいがたますいじゅう》で眠《ねむ》らせるっきゃねーか…
ゴン
あとは…
このボタン型《がた》スピーカーを…
おっちゃんのエリの裏《うら》にくっつけてと…
ピタ
おい どーした？
も、毛利《もうり》さんが急《きゅう》に…
ええっ？ 犯人《はんにん》がわかった？
え？
ああそうだ！
蝶野《ちょうの》さんは自殺《じさつ》したんじゃない殺《ころ》されたんだ…
花岡《はなおか》さん、
あなたにね!!

4

おいおい毛利君《もうりくん》！
君《きみ》も知《し》っとるだろ？彼《かれ》に犯行《はんこう》は不可能《ふかのう》だって事《こと》を…
そうだよ、あのおじさんが犯人《はんにん》なわけないじゃない、バカだなー…
だっておじさん、女《おんな》の人《ひと》がこのベランダから落《お》ちるトコ、ボク達《たち》といっしょにあの事務所《じむしょ》の窓《まど》から見《み》てたんだもん!!
こーんなに離《はな》れてるのに、突《つ》き落《お》とせるわけないよね？
花岡デザイン事
あ、ああそうとも!!
うるせぇ!!できるったらできるんだよ!!
丈夫《じょうぶ》な釣《つ》り糸《いと》と、クギが一本《いっぽん》あればな!!
は？
用意《ようい》できますか？
あ、ああ構《かま》わんが…
あ、それとしょう油《ゆ》さしと、熱《あつ》ーいコーヒーも…
しょう油《ゆ》さしとコーヒー…？

ホラ、買《か》って来《き》たぞ毛利君《もうりくん》！
釣《つ》り糸《いと》とクギにしょう油《ゆ》さし…
コーヒーは今《いま》、沸《わ》かしてる最中《さいちゅう》だが…
いったい何《なに》を始《はじ》める気《き》だね？
まあ私《わたし》のいうとおりにやってみてくださいよ！
まず釣《つ》り糸《いと》を長《なが》く出《だ》して、
大《おお》きな輪《わ》を作《つく》ります…
その長《なが》さは、ベランダの手《て》スリから玄関《げんかん》の戸口《とぐち》までの距離《きょり》を往復《おうふく》するぐらいのモノ…
長《なが》さが決《き》まったらかたく結《むす》んで輪《わ》にしてください！
被害者《ひがいしゃ》に見立《みた》てた布団《ふとん》のベルト部分《ぶぶん》に今《いま》の輪《わ》の片方《かたほう》の端《はし》を通《とお》し、
それをさらにベランダの手《て》スリの上《うえ》から内側《うちがわ》に通《とお》す…

そしてその糸《いと》の先《さき》の輪《わ》を、ベランダに置《お》いてあった植木鉢《うえきばち》にかけ、
グッ
その植木鉢《うえきばち》が手《て》スリに密着《みっちゃく》するように、反対側《はんたいがわ》の糸《いと》を引《ひ》っ張《ぱ》りながら固定《こてい》し、
さらに、植木鉢《うえきばち》が落《お》ちないように、糸《いと》を引《ひ》っ張《ぱ》りながら玄関《げんかん》へ行《い》き…
ビン
いったん、糸《いと》の先《さき》の輪《わ》をインターホンにでもひっかけておく…
そして被害者《ひがいしゃ》を糸《いと》にそってスライドさせて…
ベランダの外《そと》にぶらさげる!
もちろん怪《あや》しまれないように、被害者《ひがいしゃ》に布団《ふとん》をかぶせそれを干《ほ》すふりをしてね…
現《げん》にこのベランダには、雨《あめ》が降《ふ》っているのに布団《ふとん》が干《ほ》してあった…
布団《ふとん》は死体《したい》を隠《かく》すカムフラージュだったというわけですよ…
あとは玄関《げんかん》から外《そと》に出《で》てドアを閉《し》め、インターホンにかけていた糸《いと》の輪《わ》を外《はず》してクギに掛《か》け、
糸《いと》をゆるめながら、ドアの外《そと》で糸《いと》がクギで止《と》まるようにすればまずは完成《かんせい》だ!!

7

なるほど…こうしておけば、誰《だれ》かがこのドアを開《あ》けさえすれば、被害者《ひがいしゃ》を支《ささ》えていた片方《かたほう》の糸《いと》が外《はず》れ、
被害者《ひがいしゃ》は自動的《じどうてき》にベランダから落《お》ちるという寸法《すんぽう》か!!
ええ…ドアの開《あ》け役《やく》はもちろん花岡《はなおか》さんが手配《てはい》したバイク便《びん》…
時間《じかん》を指定《してい》すればいつでも都合《つごう》のいい時間《じかん》にドアを開《あ》けてくれる…
つまり、離《はな》れた場所《ばしょ》にいた花岡《はなおか》さんも、被害者《ひがいしゃ》が落《お》ちるのを目撃《もくげき》できるというわけですよ!
フフフ…確《たし》かにおもしろいトリックだが…
今《いま》の方法《ほうほう》ではどこかに釣《つ》り糸《いと》が残《のこ》るはずだ!
死体《したい》のそばにもこのベランダにも、そんな物《もの》残《のこ》ってなかったと思《おも》うが…
8
フン…糸《いと》を消滅《しょうめつ》させるのは簡単《かんたん》ですよ…
余《あま》った釣《つ》り糸《いと》としょう油《ゆ》さしを使《つか》えば、まるで魔法《まほう》のように消《き》えてしまう…
なに!?
そ、その方法《ほうほう》とは?

まず余《あま》った釣《つ》り糸《いと》を被害者《ひがいしゃ》と植木鉢《うえきばち》の間《あいだ》の糸《いと》に結《むす》びつけ、
ギュッ
その糸《いと》をベランダの排水口《はいすいこう》の中《なか》ブタと外《そと》ブタに通《とお》し、
ギュッ
しょう油《ゆ》さしに結《むす》びつける…
あとはしょう油《ゆ》さしを排水口《はいすいこう》に落《お》とし、フタを閉《し》めるだけ…
もちろんこの作業《さぎょう》をやるのは部屋《へや》から出《で》る前《まえ》…
しょう油《ゆ》さしはただの重《おも》りだ！代用《だいよう》できる物《もの》ならなんでもいい…
そう…例《たと》えばそれがコンタクトの保存液《ほぞんえき》でもね!!
百聞《ひゃくぶん》は一見《いっけん》にしかず…
さあ開《あ》けてもらいましょうか玄関《げんかん》のドアを…
この事件《じけん》の謎《なぞ》を解《と》く…
運命《うんめい》の扉《とびら》を!!!
よーし開《あ》けろ!!
ガチャ

バヒュ
チャリン
ズル
ヒュオオ
スポッ
お、
落《お》ちた!!
釣《つ》り糸《いと》は!?
ズルッ

ガシャン
ズル
ズル
ズル
は、
スポッ
入《はい》った!!
よーし 今《いま》すぐ 排水口《はいすいこう》を 調《しら》べろ!!
その必要《ひつよう》は ありません!
残《のこ》ってたんですよ、 植木鉢《うえきばち》の破片《はへん》に ひっかかって…
警部《けいぶ》! その釣《つ》り糸《いと》なら 私《わたし》が預《あず》かって います!
なるほど、 重《おも》りはコンタクトの 保存液《ほぞんえき》か…
バカバカしい、 何《なに》がトリックだ!!
私《わたし》は彼女《かのじょ》が 落《お》ちる直前《ちょくぜん》まで、 電話《でんわ》をしてたんだぞ!! 彼女《かのじょ》からかかってきた 電話《でんわ》でな!!
あの電話《でんわ》をとったの 確《たし》か君《きみ》だったな?
は、はい… 確《たし》かに蝶野君《ちょうのくん》の 声《こえ》でした…
ウソだと思《おも》うんなら、 ベランダにあった 携帯電話《けいたいでんわ》をリダイヤル してみろよ! きっと デザイン事務所《じむしょ》に…
つながる でしょうな…

今《いま》のトリックを仕掛《しか》け終《お》えた後《あと》、
あなた本人《ほんにん》がここから事務所《じむしょ》にその携帯電話《けいたいでんわ》でかけたはずですからね!!
………
ホラ、あったでしょ? 花岡《はなおか》さんが事務所《じむしょ》に来《く》る前《まえ》に無言電話《むごんでんわ》が…
そ、そういえば…
電話《でんわ》の彼女《かのじょ》の声《こえ》は、おそらくあなたのアトリエの留守電《るすでん》に入《はい》っていた彼女《かのじょ》のメッセージ…
もしもし蝶野《ちょうの》ですけど…
そう、あなたはここから事務所《じむしょ》に向かう途中《とちゅう》でアトリエに寄《よ》り…
彼女《かのじょ》の声《こえ》が入《はい》った、留守番電話《るすばんでんわ》の録音《ろくおん》テープを持《も》ち出《だ》した…
事務所《じむしょ》に着《つ》いたあなたはすぐにトイレに入《はい》り、今度《こんど》はあなたの携帯電話《けいたいでんわ》で事務所《じむしょ》に電話《でんわ》し、録音《ろくおん》テープを再生《さいせい》させたんだ…
蝶野《ちょうの》ですけど…
バイク便《びん》がドアを開《あ》ける6時《じ》30分《ぷん》の直前《ちょくぜん》に!
そして彼女《かのじょ》からの電話《でんわ》を受《う》け取《と》り、彼女《かのじょ》の自殺《じさつ》を止《と》めるふりをして、事務所《じむしょ》の人達《ひとたち》の目《め》を彼女《かのじょ》のベランダに注目《ちゅうもく》させたってわけだ!!
すでに死《し》んでいた彼女《かのじょ》があたかも目《め》の前《まえ》で、投身自殺《とうしんじさつ》をしたかの様《よう》に見《み》せかけるためにね!!

じゃあ やっぱり彼女《かのじょ》は、落《お》ちる前《まえ》に死《し》んでいたのか?
ええ… ここで花岡《はなおか》さんに殺《ころ》されていたと考《かんが》えた方《ほう》が、自然《しぜん》でしょう…
凶器《きょうき》はおそらく彼女《かのじょ》の仕事部屋《しごとべや》の机《つくえ》の下《した》に置《お》いてあった、妙《みょう》にきれいなガラスの灰皿《はいざら》…
調《しら》べてみてください きっとルミノール反応《はんのう》が出《で》るはずです…
フン… そこまでいうんなら、ちゃんとあるんだろーな…
私《わたし》がここで彼女《かのじょ》を殺《ころ》したという証拠《しょうこ》が!!
フフ… あるわけないよな? だって私《わたし》は今日《きょう》初《はじ》めてここに来《き》たんだから…
毛利探偵《もうりたんてい》! コーヒー入《はい》りました!
ボクがもってってあげるよ!
どうした?
答《こた》えられないのか名探偵《めいたんてい》さん?
あ!
「眠《ねむ》りの小五郎《こごろう》」さんよー!
トトト…
うわっっ

ジャ
あちちちち
コ、コナン君《くん》
とにかく私《わたし》は無実《むじつ》だ!!
ズポ
これ以上《いじょう》私《わたし》を犯人扱《はんにんあつか》いするというのなら…
私《わたし》はあなたを…
!?

こ、これは!?
おや？その絵《え》…死《し》んだ蝶野《ちょうの》さんのサインなんじゃ…
そうです！イタズラ好《ず》きの彼女《かのじょ》は、花岡《はなおか》さんの寝《ね》ている間《あいだ》に、手《て》のツメだけじゃなく足《あし》のツメに…塗《ぬ》ってたんですよ、マニキュアを!!
し、しかしよくわかったなそんな事《こと》…
ベッドのシーツの足《あし》の方《ほう》にこぼれていたマニキュアの跡《あと》を見《み》れば、容易《ようい》に想像《そうぞう》がつきますよ…
彼女《かのじょ》はマニキュアをつけてなかったし、実際《じっさい》に花岡《はなおか》さんは小指《こゆび》のツメに塗《ぬ》られていましたね…
しかもそのマニキュアは、今日《きょう》発売《はつばい》された新製品《しんせいひん》!!
あなたが無実《むじつ》をいいはるのなら、答《こた》えてくださいよ花岡《はなおか》さん…
いつ？どこで？誰《だれ》にその蝶《ちょう》のサインをつけられたかを!!
………
ウ、ウソでしょ、花岡《はなおか》さん…
花岡先生《はなおかせんせい》が蝶野君《ちょうのくん》を殺《ころ》したなんて…
Sera angel

殺人《さつじん》の動機《どうき》はおそらく絵《え》でしょうな…
絵《え》？
よーく見《み》てください！花岡《はなおか》さんの画集《がしゅう》の彼《かれ》のサインのところを!!
その中《なか》に数点《すうてん》混《ま》ざっているでしょ？彼女《かのじょ》の蝶《ちょう》のサインが入《はい》った絵《え》が…
HANAOKA
た、確《たし》かに…
それはおそらく彼女《かのじょ》が花岡《はなおか》さんのタッチを真似《まね》して描《か》いた作品《さくひん》…
これは私《わたし》の想像《そうぞう》ですが…たぶん二人《ふたり》はその事《こと》でいい争《あらそ》いになり…
そして…
ああ、あんたのいうとおりだ!!ついカッとなって気《き》づいたら、そーなっていたんだよ!!
だが…
理由《りゆう》はそれだけじゃないかもしれないな…

え?
怖《こわ》かったんですよ…前々《まえまえ》から彼女《かのじょ》の若《わか》い才能《さいのう》が…
最初《さいしょ》は彼女《かのじょ》も素直《すなお》でかわいい女《おんな》だった…
まるで花《はな》のまわりをヒラヒラ舞《ま》う蝶《ちょう》のように…
だがしだいに花《はな》を独占《どくせん》し…
蜜《みつ》を吸《す》いすぎて、花《はな》を枯《か》らし始《はじ》めた…
だから羽根《はね》をもいでやったんですよ…
もう飛《と》べないように…
羽根《はね》をなくした蝶《ちょう》が…
地面《じめん》に落《お》ちて死《し》んだ…
ただそれだけの事《こと》ですよ…

三日後《みっかご》…
えーーっ お父《とう》さんをCM《シーエム》に使《つか》いたい!?
あ、今《いま》、お父《とう》さんに替《か》わります!!
え？
もしもし、名探偵《めいたんてい》の毛利小五郎《もうりこごろう》ですが♡
すごい人気《にんき》ね お父《とう》さん！ 画集《がしゅう》の後《あと》はCM《シーエム》だなんて!!
くそっ！ 手柄《てがら》はみんな おっちゃんだからね…
バカヤロォ、そんなCM《シーエム》に出《で》られるか!!!
ガチャ
ちょっとー 何《なん》のCM《シーエム》だったのよ？
睡眠薬《すいみんやく》のCM《シーエム》だよ！ ただ寝《ね》てりゃーいいってよ!!
ナメやがって…
あ、そう…
なんだ ピッタリじゃねーか…

名探偵コナン

FILE《ファイル》.8
逃亡者《とうぼうしゃ》

名探偵コナン

―大宝撮影所《たいほうさつえいじょ》―
ギャオオオ
かーーっくいーーー!!!
本物《ほんもの》のゴメラだぜ!!
よぉ阿笠《あがさ》ひさしぶり!
おお三上君《みかみくん》!!
その子《こ》らかい？ここを見学《けんがく》したいっていうのは…
ああ！
誰《だれ》だ？この人《ひと》…

彼《かれ》はワシの友人《ゆうじん》であり、ゴメラの生《う》みの親《おや》でもある三上君《みかみくん》じゃ!!
ヨロシクな！ボウズども!!
GOMERA
う、生《う》みの親《おや》ってあのゴメラ生《う》んだのか？
え？
ちがうよ！ゴメラにエサとかやって手《て》なずけてる人《ひと》よ！
三上大輔《みかみだいすけ》(52)
映画監督《えいがかんとく》
バカですねー…この人《ひと》は10年間《ねんかん》ゴメラを撮《と》り続《つづ》けている監督《かんとく》ですよ！
バーロ、監督《かんとく》は長嶋《ながしま》だよ!!
そりゃー巨人《きょじん》の監督《かんとく》だって…
スマンな…ヤンチャボウズばっかりで…
構《かま》わんよ！怪獣映画《かいじゅうえいが》の大切《たいせつ》なお客様《きゃくさま》だ!!
今日《きょう》はゆっくりしてけよ!!
はーーい休憩《きゅうけい》でーす！
午後《ごご》からラストシーンの本番《ほんばん》いきますのでヨロシクー!!
フム…
ボウズども！ゴメラを近《ちか》くで見《み》てみるか？
えーーいーの？
ダダダ

あれ？
このビルちっせーぞ…
ねぇ！ちょっとあれ！
ゴ、ゴメラの背中《せなか》が割《わ》れてる…
ふ―――…
ゴ、ゴメラから人《ひと》が生《う》まれた…
だから―――…あれは着《き》ぐるみで、このミニチュアの町《まち》の中《なか》で、怪獣《かいじゅう》が暴《あば》れているかのように見《み》せかけて撮影《さつえい》してんだよ…
そーですよ！だいたいあんな巨大生物《きょだいせいぶつ》が、こんなスタジオの中《なか》に入《はい》れるわけありませんよ！
そうそう！
きっと本物《ほんもの》のゴメラは、別《べつ》の場所《ばしょ》で大《おお》きなオリの中《なか》に入《い》れられているんですよ！
だよな！
暴《あば》れるといけないもんね！
おいおい…
でもよくできてるよな―――このビル…

コラァ ガキども汚《きたな》い手《て》で触《さ》わるんじゃねぇ!!!
セット壊《こわ》しやがったらただじゃおかねーぞ!!
安達《あだち》僚太《りようた》(42)
美術《びじゆつ》
………
監督《かんとく》!なんとかしてくださいよ、このガキども…
壊《こわ》されたらシャレになりませんぜ!!
まあまあ…
あのー よかったら、ボクが子供達《こどもたち》の面倒《めんどう》を見《み》ましょうか?
どーせ午後《ごご》まで撮《と》りがないので、体《からだ》があいてますし…
松井《まつい》秀豪《しゆうご》(34)
ゴメラ俳優《はいゆう》
おおスマンな…
ゴメラの中《なか》に入《はい》ってた人《ひと》ですね…
いい人《ひと》だな…
ゴメラは子供《こども》の味方《みかた》だもの…
ゴメラが暴《あば》れるのは、いつも悪《わる》い大人《おとな》のせいだからな!
フン!
そうそう…
そして、その高《たか》ぶった気《き》を鎮《しず》めるのが…

この妖精《ようせい》エメラってわけよ、ボウヤ達《たち》！
坂口友美《さかぐちともみ》(24)
女優《じょゆう》
エ、エメラって…ピンチにならないと出《で》て来《こ》ない、あの指輪《ゆびわ》の妖精《ようせい》か？
ええそうよ！
うそでーエメラはこーんなにちっちぇーんだぞ!!
でも顔《かお》はそっくりですよ…
きっと魔法《まほう》でおっきくなってるのよ！
ま、まーね！
でもちょっと老《ふ》けてんじゃねーか？
うるさいわね！
アハハハ
いいスタッフじゃないか！
ああ…みんなゴメラを愛《あい》し、10年間《ねんかん》ゴメラと苦労《くろう》を共《とも》にしてきた家族《かぞく》みたいなものさ…
誰一人《だれひとり》欠《か》けても撮《と》る事《こと》はできんよ…
大怪獣《だいかいじゅう》ゴメラはな…
フ…それも今年《ことし》かぎりだがな…

亀井《かめい》プロデューサー!?
怪獣映画《かいじゅうえいが》なんて所詮子供《しょせんこども》だまし…もう時代《じだい》じゃないよ…
亀井《かめい》　修《おさむ》(56)
映画《えいが》プロデューサー
使《つか》い古《ふる》された音楽《おんがく》に、
ワンパターンの演出《えんしゅつ》…
金《かね》がかかり過《す》ぎるセットに特殊効果《とくしゅこうか》…
毎回破損《まいかいはそん》するゴメラの修復代《しゅうふくだい》だってバカにならない…
デビュー当時《とうじ》は14歳《さい》だった妖精《ようせい》も今《いま》じゃ24…
もう潮時《しおどき》だよ…
ああ、そうそう…昨日撮《きのうと》ったラッシュフィルムが出来上《できあ》がってるそうだ…
みんなで試写室《ししゃしつ》に行《い》って観《み》て来《く》るといい…
あら?プロデューサーは観《み》ないんですか?
いいよ私《わたし》は…
食事《しょくじ》でもしてくる…
どうかね友美君《ともみくん》?君《きみ》もいっしょに…
例《れい》の話《はなし》もあるし…
いいえ遠慮《えんりょ》しときますわ…

まあ じっくり 考《かんが》えたまえ…
………
なんだね 例《れい》の話《はなし》って?
次《つぎ》の映画《えいが》の話《はなし》ですよ… 主役《しゅやく》の女刑事《おんなけいじ》やらないかって…
人《ひと》の事《こと》散々《さんざん》なじっといて、よくあんな事《こと》いえるわよ!
まあいいじゃねぇか! 次《つぎ》の仕事《しごと》が決《き》まってんだ! こちとらおまんまの食《く》い上《あ》げだぜ!!
なぁ松《まつ》ちゃん!!
あ、いえ… 一応《いちおう》きてるんです… 僕《ぼく》にも次《つぎ》の映画《えいが》の犯人役《はんにんやく》の話《はなし》が…
なんだよ オレだけかよ!?
まあまあ そう腐《くさ》るな!
ホラ、ゴメラも泣《な》いてるぞ…
ちゃんと最後《さいご》まで撮《と》ってくれとな…
そうね… ゴメラも10年間《ねんかん》がんばってきたんだもの…
最後《さいご》ぐらいビシッと決《き》めてあげなきゃね…
おーし、試写室《ししゃしつ》でゴメラの雄姿《ゆうし》を拝《おが》んでくるとすっか!
じゃあ僕《ぼく》はこの子《こ》らに撮影所《さつえいじょ》の中《なか》の案内《あんない》を…
ウム…

うわー!!
第一倉庫
スゲー!!
怪獣《かいじゅう》がいっぱいだ!!
みんなゴメラにやられた奴《やつ》らですね…
かみつかないかな──…
だからただの着《き》ぐるみだって…
オイ…
きゃあああ
ビチョ
ま、松井《まつい》さん…
ゴメン! ゴメン!
こんなに驚《おどろ》くとは思《おも》わなかったから…
何《なん》なの? その手《て》…
ゴメラの手《て》だよ! アップの時《どき》に使《つか》うんだ…
リモコンで動《うご》くゴメラの顔《かお》とかもあるけど…
まってな! 今《いま》、取《と》ってきてあげるから!
うん!

ねえ…？ホントにゴメラの映画《えいが》終《お》わっちゃうのかなぁ…
ああ…そうみてーだな…
つまんないの…あんなに面白《おもしろ》いのに…
なんかお金《かね》がかかるっていってたな…
きっとエサ代《だい》ですよゴメラ大《おお》きいから…
でもこれで、やっとゴメラ生《う》まれた島《しま》に帰《かえ》れますね!!
おう！
よかったね!!
——ったくめでてー奴《やつ》らだぜ…
うあああああ
ま、
ダッ
松井《まつい》さん!!
と、となりの部屋《へや》からだ!!
今《いま》の松井《まつい》さんの声《こえ》!!

!?
うぐっ…
どーしたんですか、その足《あし》!?
ゴ、ゴメラだ…
ゴメラ?
ああ…いたんだよ、ゴメラがこの部屋《へや》に!!
そして刃物《はもの》で僕《ぼく》を…
それでそいつは?
逃《に》げたよ…あのドアから外《そと》に…
よーし!!
ダッ
お、おい、まてボウヤ達《たち》!!
おい!!
ダダダ
バン

なんだ ここ…
スタジオが丸見《まるみ》えですね…
あれ？ 誰《だれ》かいるよ！
ホラ、ビルの中《なか》に…
さっきのプロデューサーじゃねーか？
ヌッ
あ…
ん？ 誰《だれ》だね？
松井君《まついくん》か？
………
お、おい…
ガシャ
ズン ズン
ズシン

14

くそっ!!
ガチャ
コ、コナン君《くん》!!
ちょっと〜…
ダッ
タタタ…
まってよ〜!!
ダメだ死《し》んでる…
や、
奴《やつ》は…!?
ん?足跡《あしあと》…
そうか!ペンキを倒《たお》したんだ!!
逃《に》げたのは…
あのドアか!!
ダダダ…
ドン

イタタタ…
なによ
あなた達《たち》
まで…
と、
友美《ともみ》さん？
ゴメラ
見《み》なかっ
た？
さっき
ぶつかった
わよ！
ホラ、
あそこ…
スッ
ヤロォ!!
ダッ
ちょっ
と――!!
あれ、
松井《まつい》さんじゃ
ないの？
ダダダ…
ダ
ダ
ダ
この先《さき》は屋上《おくじょう》だ！
奴《やつ》はドアの向《む》こうに
いる…
ハァ
ハァ
ハァ
ハァ
ハァ
おめーらは
危《あぶ》ねーから
下《した》に降《お》りてろ！
平気《へいき》だよ、
ゴメラは子供《こども》の
味方《みかた》だもん！
あの
な――…
ガチャ
お、
おい!!

あれ?
いないよゴメラ…
バカな!!ここまでの道順《みちじゅん》で姿《すがた》を隠《かく》す所《ところ》なんてどこにもなかったはず…
いったい奴《やつ》はどこに!?
空飛《そらと》んじまったんじゃねーの?
ゴメラは飛《と》べませんよ…
!?
ゴオオオ
いた!!
地面《じめん》に落《お》ちてる!!
すげー燃《も》えてるぜ!!
くそっ!自殺《じさつ》か!!

ゴオオオオ
ダダダ
!?
い、
いない…
そんな…
バカな!?

FILE《ファイル》.9
怪獣《かいじゅう》ゴメラの悲劇《ひげき》

本当《ほんとう》かね コナン君《くん》?
犯人《はんにん》がスタジオで、あの着《き》ぐるみを着《き》て被害者《ひがいしゃ》を刺《さ》し殺《ころ》したというのは…
うん!
その後《あと》みんなで犯人《はんにん》を追《お》いかけたんだ!!
スタジオから廊下《ろうか》に出《で》て階段《かいだん》を上《あ》がって…
あの屋上《おくじょう》に追《お》い詰《つ》めたと思《おも》ったんだけど…
屋上《おくじょう》には誰《だれ》もいなくて……

2

下《した》を見《み》たらあの着《き》ぐるみが落《お》ちてて…
中《なか》には誰《だれ》もいなかったというわけか…
しかしな――…着《き》ぐるみには返《かえ》り血《ち》が付着《ふちゃく》しておるし、凶器《きょうき》の刃物《はもの》も着《き》ぐるみのそばに落《お》ちていたし…
犯人《はんにん》が消《き》えるわけないんだが…
ちゃんと後《あと》を追《お》ったのかね？
ウソだと思《おも》うんなら調《しら》べてみてよ、まだ廊下《ろうか》や階段《かいだん》に足跡《あしあと》が残《のこ》ってるから…
足跡《あしあと》？
犯人《はんにん》が倒《たお》したペンキが着《き》ぐるみの足《あし》についたんだよ。
それに着《き》ぐるみを着《き》た犯人《はんにん》を見《み》たのは、ボク達《たち》だけじゃないよ！
犯人《はんにん》はスタジオから廊下《ろうか》に出《で》る時《とき》、友美《ともみ》さんにぶつかってるし…
犯人《はんにん》があのおじさんを殺《ころ》す前《まえ》に、倉庫《そうこ》で松井《まつい》さんが襲《おそ》われてるし…
倉庫《そうこ》で…？
だよねみんな!?

え？
うぇ…
お、おい…
だってぇ～ゴメラ死《し》んじゃったんでしょ～？
無敵《むてき》だったのに信《しん》じらんねーよ！
だから～あれは着《き》ぐるみだっていってんだろ？
でも…これでもうゴメラの映画《えいが》撮《と》れませんね…
バーロ！予備《よび》の着《き》ぐるみ使《つか》えばすむ事《こと》だろ？
いや…ゴメラはあれ一体《いったい》しかないんだ…
え？ホントに？
ああ…予算節約《よさんせつやく》のために毎回修理《まいかいしゅうり》しながら大切《たいせつ》に使《つか》ってたからな…
おや？あなた確《たし》か…
ゴメラの映画監督《えいがかんとく》の三上《みかみ》です…
三上大輔《みかみだいすけ》(52)
映画監督《えいがかんとく》

失礼《しつれい》ですが、犯行時刻《はんこうじこく》の午前《ごぜん》11時半頃《じはんごろ》あなたどこに?
その頃《ころ》なら撮影所《さつえいじょ》の一階《いっかい》の部屋《へや》にこもって、一人《ひとり》でコンテの最終《さいしゅう》チェックをしてました…
午後《ごご》からラストシーンを撮《と》る予定《よてい》でしたから…
では証人《しょうにん》はいないんですな?
え、ええまあ…
ん?
汗《あせ》?
ねえ、すごい汗《あせ》だよおじさん!
ああ…私《わたし》は汗《あせ》っかきなものだから…
それに狭《せま》い部屋《へや》で窓《まど》を閉《し》めきり、クーラーもかけずにコンテをきるのが、私《わたし》のいつものクセなんだ…
雑音《ざつおん》を消《け》してコンテに集中《しゅうちゅう》するためにな…
ふーーん…
でもせっかく仕上《しあ》げたコンテも、ゴメラが燃《も》えプロデューサーが亡《な》くなった今《いま》となっては…
ただの紙《かみ》きれに化《ば》けてしまったようだな…
とにかくスタジオに行《い》って、犯人《はんにん》を見《み》たという二人《ふたり》の目撃者《もくげきしゃ》に話《はなし》を聞《き》いてみましょうか…
………
GOMERA

なるほど…
つまり、あなたがこの倉庫《そうこ》に入《はい》った時《とき》、犯人《はんにん》はすでにゴメラの着《き》ぐるみを着《き》てここに立《た》っていたんですな？
は、はい…
グッ
最初《さいしょ》は誰《だれ》かがふざけているのかと思《おも》って、声《こえ》をかけながらそばに寄《よ》ったら…
突然《とつぜん》刃物《はもの》で襲《おそ》ってきて…
松井秀豪《まついしゅうご》(34)
ゴメラ俳優《はいゆう》
それであなたの叫《さけ》び声《ごえ》を聞《き》いて、となりの部屋《へや》にいたこの子《こ》らがかけつけたってわけですか…
は、はい…
うぐっ
だ、大丈夫《だいじょうぶ》かね？
かなりの重傷《じゅうしょう》です
一応《いちおう》応急手当《おうきゅうてあ》てをしますが、早《はや》めに病院《びょういん》に行《い》った方《ほう》が…
ウーム…その足《あし》じゃとても犯行《はんこう》は無理《むり》だという事《こと》か…
……

ホウ…あなたでしたか…
死体《したい》を見《み》て警察《けいさつ》に通報《つうほう》されたのは…
ええ…その子達《こたち》がすごい顔《かお》してスタジオから飛《と》び出《だ》して来たから、スタジオをのぞいたのよ！
そしたら、ミニチュアの中《なか》でプロデューサーが血《ち》まみれで倒《たお》れてて…
坂口友美《さかぐちともみ》(24)
女優《じょゆう》
それで急《いそ》いで一階《いっかい》に降《お》りて、受《う》け付《つ》けの電話《でんわ》から警察《けいさつ》に…
では、廊下《ろうか》で着《き》ぐるみを着《き》た犯人《はんにん》とぶつかったというのは、本当《ほんとう》ですな？
ええ…ゴメラとぶつかった後《あと》、その子《こ》らとまたぶつかって…
ドン
しかしなんであなたはここに？
プロデューサーにもラッシュを観《み》せたくて、呼《よ》びに行《い》ったのよ！
食堂《しょくどう》の人《ひと》に聞《き》いたらスタジオに行《い》ったっていってたから…
ラッシュ？
撮影《さつえい》したての未編集《みへんしゅう》フィルムですよ…
それをスタッフと試写室《ししゃしつ》で観《み》てたんですけど、出来《でき》が素晴《すば》らしかったからゴメラの打《う》ち切《き》りを決《き》めたあのプロデューサーにも観《み》せてやろうと思《おも》って…

でもまさかあんな事《こと》になるなんて…
ねえ友美《ともみ》さん！着《き》ぐるみ着《き》た犯人《はんにん》の後《うし》ろ姿《すがた》見《み》たでしょ？
え、ええ…
だったら中身《なかみ》が誰《だれ》だか見《み》えなかった？着《き》ぐるみの背中《せなか》開《ひら》いてたんでしょ？
そーねー、開《ひら》いてたのは開《ひら》いてたけど、暗《くら》くてよく見《み》えなかったわ…
ただ走《はし》り方《かた》が…
走《はし》り方《かた》？
はい…走《はし》り去《さ》るのは早《はや》かったんですけど…
かなりぶかっこうで走《はし》りにくそうでした…
なんか着慣《きな》れてないっていうか…
当《あ》たり前《まえ》だよ…ゴメラは松井君《まついくん》しか着《き》た事《こと》がないんだ…ほかの者《もの》が着《き》ればそうなるよ…
8
…となると倉庫《そうこ》で犯人《はんにん》に刺《さ》された松井《まつい》さん…
殺《ころ》されたプロデューサーを呼《よ》びに、このスタジオへ来《き》た友美《ともみ》さん…
そして別室《べっしつ》でコンテのチェックをしていた三上監督《みかみかんとく》のほかは全員試写室《ぜんいんししゃしつ》にいたという事《こと》ですか？

おおそうじゃ! ほかのスタッフは皆《みな》、ワシといっしょにラッシュを観《み》とったぞ!
ん——っ なんですか あなたは?
阿笠《あがさ》ですよ!! ホラ、新一君《しんいちくん》の家《いえ》のとなりに住《す》んでいる天才博士《てんさいはかせ》の…
あ——あ—— 新一君《しんいちくん》からウワサは聞《き》いてますよ!
いつも妙《みょう》ちきりんな発明《はつめい》をなさってるそうで…
いやー ハハハ…
この…
まー まー…
で? 本当《ほんとう》にスタッフ全員《ぜんいん》が試写室《ししゃしつ》に?
そうじゃよ! 途中《とちゅう》で抜《ぬ》け出《だ》したのは彼女《かのじょ》だけで…
おお、そういえばもう一人《ひとり》おった! こっそり抜《ぬ》け出《だ》した者《もの》が…
なに!?
ありゃー 確《たし》か…
だからー こんなペンキ知《し》らねーっていってんだろ?
だいたい午後《ごご》から本番《ほんばん》だっていうのに、セットの真《ま》ん中《なか》にペンキなんぞ置《お》くかよ!!
おお、あの人《ひと》じゃ あの人《ひと》!

ああ…抜《ぬ》け出《だ》したぜ…
ラッシュ観《み》てたらこのセットの中《なか》に気《き》になる所《とこ》を見《み》つけたから、直《なお》しにな！
直《なお》しにって、このスタジオに？
安達僚太《あだちりょうた》(42)
美術《びじゅつ》
おう、そうだ！オレはすぐに直《なお》さねーと気《き》がすまねータチだからよー…
それで？抜《ぬ》けた時間《じかん》はどの位《くらい》かね？
あんだぁ〜？あんたまさか、オレを疑《うたが》ってんじゃねーだろーなっ！
安達《あだち》さんが抜《ぬ》け出《だ》した時間《じかん》は、ほんの4〜5分《ふん》ですよ！
4〜5分《ふん》じゃ着《き》ぐるみを着《き》て人《ひと》を殺《ころ》し、階段《かいだん》をかけ上《あ》がった後《あと》で試写室《ししゃしつ》に戻《もど》るだけの時間《じかん》はねーな…
それにしても誰《だれ》だよ、こんな所《とこ》にペンキなんぞおいた奴《やつ》は!!
まあ、ひっくりけーされて犯人《はんにん》の足跡《あしあと》を残《のこ》してくれたけどよー!!
あら、そのペンキ、そこに置《お》いたの安達《あだち》さんでしょ？
え？

ホラ、午前中《ごぜんちゅう》のリハーサルが終《お》わった後《あと》、置《お》いてたじゃない!!
忘《わす》れちゃったの？
………
おーそーだった！すっかり忘《わす》れてたぜ!!
ーったく…
………
警部《けいぶ》！受付《うけつけ》の者《もの》に確《たし》かめたところ、今日《きょう》この撮影所《さつえいじょ》に来《き》ているのはここにいる人達《ひとたち》で全員《ぜんいん》だそうです！
おおそうか！
ねえ…
どーして松井《まつい》さん、ラッシュ観《み》なかったの？
だってゴメラの中《なか》に入《はい》ってる人《ひと》でしょ？ボクだったら絶対《ぜったい》観《み》たいと思《おも》うけど…
知《し》らねーよ！ここんところ誘《さそ》っても観《み》たくねーっていうんだから…
まあそういうな！彼《かれ》もゴメラをやめたがってた一人《ひとり》なんだから…
え？松井《まつい》さんが？
ああ…最近《さいきん》よくプロデューサーにもらしてたそうだ…「ゴメラはもう限界《げんかい》、普通《ふつう》の役《やく》をやりたい」って…
その一言《ひとこと》で決《き》まったようなもんだゴメラの打《う》ち切《き》りは…
もういいじゃないそんな話《はなし》…
あ、ああ…
……

容疑者《ようぎしゃ》は犯行時刻《はんこうじこく》に試写室《ししゃしつ》にいなかった人物《じんぶつ》…
三上監督《みかみかんとく》と松井《まつい》さんと友美《ともみ》さんと安達《あだち》さんの四人《よにん》!!
その中《なか》で犯行《はんこう》が可能《かのう》だったのは三上監督《みかみかんとく》だけだけど…
どーもわからねー…いったい犯人《はんにん》はどこで姿《すがた》を消《け》したんだ?
オレ達《たち》は確《たし》かに見《み》た…
ゴメラがこの廊下《ろうか》の角《かど》を曲《ま》がるのを…
だからオレ達《たち》も角《かど》を曲《ま》がり、足跡《あしあと》を追《お》って階段《かいだん》を…
ねーコナン君《くん》ゴメラのお墓《はか》作《つく》ってあげよーよ…
そしてあの屋上《おくじょう》のドアから外《そと》へ…
ねーお墓《はか》ー…
うるせえ!!
今《いま》はそれどころじゃねーんだよ!!
ゴメラみてーに怒《おこ》ってんじゃねーよ!
ゴメラみたいに…?
ホラ、見《み》ろよここ!

階段《かいだん》にシッポの跡《あと》がねーだろ？
え？
ゴメラが怒《おこ》って階段《かいだん》を上《あ》がった証拠《しょうこ》だよ！
そうか！ゴメラ怒《おこ》るとシッポを立《た》てますからね！
ま、まてよ…
もしかしたら!!
お、おい…
ダッ
どーしたんだよ、コナン!?
ガチャ
ダダダ
ガラッ
おい…
タタタ…

!?
なんですか?
おい
コナン!?
フ…
なにが
見《み》えるの?
おーし、
トリックは
わかった!!
後《あと》は
スタジオに
戻《もど》って、
もう一度《いちど》
容疑者《ようぎしゃ》に
話《はなし》を…
コナン
君《くん》…?
なんだよ
あいつ…?
怒《おこ》ったり、
笑《わら》ったり…
へんなの…

え〜〜〜〜なんでスタジオに入《い》れてくんないんだよ!?
ダメダメ!! ここは子供《こども》の遊《あそ》び場《ば》じゃないんだ!!
タタタ
くそっ!! それならもう一《ひと》つの入口《いりぐち》から…
やべ…こっちにもいる…
ん?
第一倉庫
そーいえばこの倉庫《そうこ》からスタジオに行《い》けたよな…
あ、コラ!!
ガチャ
第一倉庫
ちょっと忘《わす》れ物《もの》したから…
バ
あ…
タタタダ

おお コナン君《くん》！
どーしたの みんな集《あつ》まって…
松井君《まついくん》の手当《てあ》てが終《お》わったから、これからみんなで病院《びょういん》に連《つ》れて行《い》く所《ところ》だよ…
その足《あし》じゃ当分《とうぶん》ゴメラ役《やく》は無理《むり》のようじゃの——…
フン！ゴメラどころか人間《にんげん》の役《やく》だってできねーよ！
これで本当《ほんとう》に終《お》わりかもねゴメラ…
そうだな…最後《さいご》ぐらいちゃんと撮《と》りたかったが残念《ざんねん》だ…
……
ねえ松井《まつい》さん！
昼間《ひるま》、ゴメラの手《て》だけのパーツ見《み》せてくれたよね？
あれって足《あし》のヤツもあるの？
あ、ああ…あるよ！
でもそれがどうかしたのかい？
いや別《べつ》に…
16

さあ病院《びょういん》に…
………
で？
え？
もう事件《じけん》は解《と》けたのか、新一君《しんいちくん》？
いや、まだ犯人《はんにん》までは…
それにわからないのはもう一《ひと》つ…
ゴメラの着《き》ぐるみを着《き》た犯人《はんにん》が、なんでわざわざこの倉庫《そうこ》で松井《まつい》さんを襲《おそ》ったか…
刃物《はもの》をとりに来《き》たんじゃないのか？そこを松井《まつい》さんに見《み》られて…
でもよーここにある刃物《はもの》は、全部撮影用《ぜんぶさつえいよう》のニセモノだろ？
刃物
人《ひと》なんか刺《さ》せねーよ、こんなんじゃ…
ガラ
ガラ
刃物
痛《いた》っ…

え？
まてよ…
だとしたら犯人《はんにん》は…
!?
あの人《ひと》しかいない!!

FILE《ファイル》.10 去《さ》りゆく後《うし》ろ姿《すがた》

まちがいない…
犯人《はんにん》はあの人《ひと》だ!!
おーし、いつもどおり変声機《へんせいき》と麻酔銃《ますいじゅう》を使《つか》って、オレの推理《すいり》をみんなに…
でも誰《だれ》にするんだ？探偵役《たんていやく》…
やっぱここは、目暮警部《めぐれけいぶ》っきゃねーか…？
ゴソ
ゴソ
ゴソ
ゴソ
あり？
どうした、新一君《しんいちくん》？
麻酔銃《ますいじゅう》がないんだよ…

2

麻酔銃《ますいじゅう》って、ワシが作《つく》ってやった時計型麻酔銃《とけいがたますいじゅう》の事《こと》か?
ああ…あれがねーとせっかく犯人《はんにん》がわかったのに誰《だれ》にも教《おし》える事《こと》が…
できねー…
………
ん?
博士《はかせ》!ちょっとモノは相談《そうだん》だけど…
フムフム…
では、我々《われわれ》は彼《かれ》を病院《びょういん》に…
ウム…仕方《しかた》ない…
あなた方《がた》の事情聴取《じじょうちょうしゅ》は後日《ごじつ》、署《しょ》の方《ほう》で…
ちょっとまつのじゃ!!

フッフッフッ…まだ、あんたらを帰《かえ》すわけにはいかん!!
あ、阿笠《あがさ》?
おるんじゃよこの中《なか》に…
ワシのにらんだ犯人《はんにん》がな!!
なんだって!?
な、
お、おい！オレが出《だ》す博士《はかせ》の声《こえ》に合《あ》わせて、口《くち》パクするだけでいいんだぞ？
いいじゃないかたまにはワシにも決《き》めさせろ！
阿笠《あがさ》さん？
あなたも聞《き》いたでしょ？着《き》ぐるみを着《き》た犯人《はんにん》を子供達《こどもたち》が追《お》いかけていったのを…
そして屋上《おくじょう》に追《お》いつめたが、そこには人影《ひとかげ》はなく火《ひ》がついた着《き》ぐるみだけがなぜか地面《じめん》に落《お》ちていた…
犯人《はんにん》がわかったというのなら、まずはその謎《なぞ》ときから説明《せつめい》してもらいましょうか？
フフフ…あれはおそらく…

特撮《とくさつ》じゃ!!
え?
ホラ、よくあるじゃろ? 立体《りったい》で見《み》えるヤツ! きっと犯人《はんにん》はその映像《えいぞう》を使《つか》って…
な? そうじゃろ新一君《しんいちくん》?
………
何《なに》いってんの? 私《わたし》は廊下《ろうか》で犯人《はんにん》とぶつかったし、逃《に》げる所《ところ》も見《み》てるのよ!!
ヘタな事《こと》ぬかすとただじゃおかねえぞ!!
あ、いや…
今《いま》のはなし! なし! ほ、本当《ほんとう》は…
トリックじゃよ…
しかも極《きわ》めて単純《たんじゅん》な…
まあそれをすぐに見抜《みぬ》けなかった、警察《けいさつ》とワシらもどうかしておったがの!…
なにぃ!?
5
よう考《かんが》えてみぃ! 子供達《こどもたち》と友美《ともみ》さんが犯人《はんにん》の姿《すがた》を見《み》たのは、廊下《ろうか》を曲《ま》がるところまでじゃ!!
あの後《あと》、犯人《はんにん》が階段《かいだん》を登《のぼ》ったかどうかはわかりはせん!
だが、階段《かいだん》には足跡《あしあと》が残《のこ》っとったぞ!! 廊下《ろうか》からつながる足跡《あしあと》がな!!
た、確《たし》かに…
ホラ、オレの声《こえ》に合《あ》わせて…
お、おお…

犯人《はんにん》はあらかじめつけていたんじゃよ足跡《あしあと》を!!
階段《かいだん》から屋上《おくじょう》に逃走《とうそう》したかのように見《み》せかけるためにな!!
パク パク
ハハハ…バカな! そんな足跡《あしあと》が最初《さいしょ》から廊下《ろうか》についていたのなら、誰《だれ》かが気《き》づいておるよ!
あらかじめ足跡《あしあと》をつけたのが、階段《かいだん》だけならどうじゃね?
え?
屋上《おくじょう》に行《い》く者《もの》なんぞめったにおらん…そこに通《つう》じる階段《かいだん》なら、皆《みな》が見落《みお》としてもおかしくないじゃろ?
犯人《はんにん》があらかじめ足跡《あしあと》をつけるのに使《つか》ったのは、おそらくゴメラの足《あし》だけのパーツ…
その証拠《しょうこ》に、廊下《ろうか》にはシッポの跡《あと》もあるのに階段《かいだん》にはそれがない…
犯人《はんにん》がそこまで予想《よそう》してなかったという事《こと》じゃろう…
つまり犯人《はんにん》は廊下《ろうか》の角《かど》を曲《ま》がり、追《お》いかけて来《く》る子供達《こどもたち》の視界《しかい》からいったん姿《すがた》を消《け》した後《あと》、
足跡《あしあと》をつけておいた階段《かいだん》の前《まえ》で、素早《すばや》く着《き》ぐるみを脱《ぬ》いだんじゃ!
そして着《き》ぐるみをかついで、足跡《あしあと》とは逆《ぎゃく》に階段《かいだん》を降《お》りて下《した》の部屋《へや》に入《はい》り、
その部屋《へや》の窓《まど》から、着《き》ぐるみに火《ひ》をつけて地面《じめん》に落《お》としたんじゃ!

そうすれば後《あと》から足跡《あしあと》を追《お》って来《き》た子供達《こどもたち》には、犯人《はんにん》が階段《かいだん》から屋上《おくじょう》に逃《に》げたように見《み》え、
屋上《おくじょう》に出《で》ても誰《だれ》の姿《すがた》もなく、あるのは地面《じめん》に落《お》ちたゴメラの空《から》の着《き》ぐるみだけという、
まさに不可思議《ふかしぎ》な事件《じけん》の出来上《できあ》がりというわけじゃ!!
おお!
なるほど!!
オホン
え?
あ、いや…
で、でもあの足跡《あしあと》はたまたまセットの中《なか》に置《お》かれていたペンキを、犯行時《はんこうじ》に犯人《はんにん》が倒《たお》したからついたモノでしょ?
どんな色《いろ》のペンキが置《お》かれてるのかもわからないのに、あらかじめ足跡《あしあと》なんてつけられるかしら?
ねえ、安達《あだち》さん!!
ああ!あのペンキは事件《じけん》がある前《まえ》にオレが偶然《ぐうぜん》あそこに置《お》いたモンだ!!
おいおい、どーいう事《こと》かね?つじつまが合《あ》わんじゃないか…
つじつまが合《あ》わないのは当然《とうぜん》じゃよ!
なにしろ友美《ともみ》さんと安達《あだち》さんのその証言《しょうげん》は…

犯人《はんにん》をかばってついた…
ウソなんじゃからな…
ウ、
ウソだと!?
ああ！子供達《こどもたち》がセットに触《さわ》っただけで怒《おこ》る美術《びじゅつ》の安達《あだち》さんが、本番前《ほんばんまえ》にセットの中《なか》にペンキなんぞ置《お》き忘《わす》れんよ…
あれは犯人《はんにん》が犯行時《はんこうじ》に着《き》ぐるみを着《き》たまま持《も》っていた物《もの》じゃろう…足跡《あしあと》のトリックを使《つか》うためにな…
じゃあこの二人《ふたり》は犯人《はんにん》の正体《しょうたい》を!?
そうじゃ！
安達《あだち》さんは友美《ともみ》さんの言葉《ことば》に口裏《くちうら》を合《あ》わせただけじゃろうが…友美《ともみ》さんは知《し》ってたはずじゃ…
おそらく廊下《ろうか》で犯人《はんにん》とぶつかった時《とき》に見《み》たんじゃろう…開《ひら》いた着《き》ぐるみの背中《せなか》に犯人《はんにん》の姿《すがた》を!!
そしてその後《あと》スタジオで死体《したい》を見《み》つけ、事《こと》を悟《さと》った友美《ともみ》さんはあんなウソを…
ちがいますかな？
………

それで？いったい誰《だれ》だね、犯人《はんにん》は？
犯行当時《はんこうとうじ》、ここにいるほとんどの者《もの》が試写室《ししゃしつ》でワシといっしょにラッシュを観《み》ておった…
つまり犯人《はんにん》は試写室《ししゃしつ》にいかなかった三上監督《みかみかんとく》と松井《まつい》さん…
そして試写室《ししゃしつ》を途中《とちゅう》で抜《ぬ》け出《だ》した、友美《ともみ》さんと安達《あだち》さんの四人《よにん》!!
安達《あだち》さんが抜《ぬ》け出《だ》したのはほんの4～5分《ふん》、犯行《はんこう》は無理《むり》じゃ…
子供達《こどもたち》といっしょに犯人《はんにん》を目撃《もくげき》しておる友美《ともみ》さんもシロ…
残《のこ》るは三上監督《みかみかんとく》と松井《まつい》さんの二人《ふたり》…
おいおい松井《まつい》さんは大《おお》ケガをおっておるし、三上君《みかみくん》はワシの親友《しんゆう》じゃぞ!!
彼《かれ》らが犯人《はんにん》であるわけが…
あ、バカ…
あ…
……といういぐらい意外《いがい》な人物《じんぶつ》…
そう…犯人《はんにん》は…
ねえ…

何《なに》やってんのコナン君《くん》？
へ？
邪魔《じゃま》だ あっちに行《い》ってろ!! しっ！しっ！
邪魔《じゃま》？ しっしっ？
い、いいや ハエがうるさくて…
しっしっ！
で？誰《だれ》なんだね 犯人《はんにん》は？
そう…犯人《はんにん》は 子供達《こどもたち》を連《つ》れて この撮影所内《さつえいじょない》を案内《あんない》し…
事件《じけん》の前《まえ》に 倉庫《そうこ》で犯人《はんにん》に 足《あし》を刺《さ》されたと いう…
松井《まつい》さん…

あんたじゃよ!!
バカヤロォ!! いくら松《まっ》ちゃんが10年間《ねんかん》ゴメラの中《なか》に入《はい》ってたといったって、こんな足《あし》であんな重《おも》い着《き》ぐるみを着《き》たまま逃《に》げられっかよ!!
そうだぞ阿笠《あがさ》! 友美君《ともみくん》もいってたぞ! 犯人《はんにん》は着《き》ぐるみを着慣《きな》れてるふうじゃなかったけど、走《はし》り去《さ》るのは速《はや》かったって…
なあ友美君《ともみくん》?
友美君《ともみくん》…
確《たし》かにそのケガでは殺人《さつじん》も逃走《とうそう》も無理《むり》じゃ…
それが本当《ほんとう》に事件前《じけんまえ》に負《お》ったケガじゃったらな!!
じゃあまさか…
あのケガは…

そうじゃ! あのケガは犯行後《はんこうご》、着《き》ぐるみを落《お》として倉庫《そうこ》に戻《もど》った松井《まつい》さんがあらかじめ用意《ようい》していたもう一本《いっぽん》の刃物《はもの》で刺《さ》したケガ…
後《あと》で調《しら》べられてもいいように… そして、疑《うたが》いを逃《のが》れるために自《みずか》らつけた、
偽《いつわ》りの足《あし》かせなんじゃよ!!
し、しかし事件前《じけんまえ》に子供達《こどもたち》も見《み》ているんだぞ、そのケガを…
あれはおそらく血《ち》ノリじゃ…
ここは撮影所《さつえいじょ》… 血《ち》ノリぐらい用意《ようい》できる…
だが子供達《こどもたち》はそのケガを見《み》た後《あと》、止《と》める松井《まつい》さんを倉庫《そうこ》に残《のこ》して、ゴメラを追《お》いかけてスタジオに向《む》かったそうじゃないか…
倉庫《そうこ》の中《なか》からスタジオに通《つう》じる通路《つうろ》は一本道《いっぽんみち》! 松井《まつい》さんはどこで子供達《こどもたち》を追《お》い抜《ぬ》いたというんだね?
廊下《ろうか》に面《めん》した倉庫《そうこ》の入口《いりぐち》から出《で》れば、スタジオは目《め》の前《まえ》じゃ!
子供達《こどもたち》が行《い》った後《あと》、そこを通《とお》ってスタジオに入《はい》ったんじゃろう…
そして暗《くら》いスタジオの中《なか》で着《き》ぐるみを着《き》て、あらかじめ呼《よ》び出《だ》しておいた被害者《ひがいしゃ》を、子供達《こどもたち》の目《め》の前《まえ》でグサリとやったわけじゃ!!
このトリックは足跡《あしあと》を追《お》って来《く》る目撃者《もくげきしゃ》が必要《ひつよう》じゃからのう…

12

なるほど…だから目撃者《もくげきしゃ》に大人《おとな》より足《あし》の遅《おそ》い、あの子《こ》らを選《えら》んだというわけか…
ああ、子供《こども》は好奇心《こうきしん》の塊《かたまり》じゃからのう…行《い》くなといえば行《い》きたがる…
おかげでオレも…
オレ…？
あ、いや…あの子《こ》らがひっかかったのも無理《むり》はないという事《こと》じゃ…
着《き》ぐるみに火《ひ》をつけたのは中《なか》に残《のこ》っている自分《じぶん》の痕跡《こんせき》を消《け》すため…
後《あと》で調《しら》べられたら、最後《さいご》に誰《だれ》が着《き》てたかぐらいわかってしまうからのう…
そして犯行時刻《はんこうじこく》を試写《ししゃ》の時間《じかん》に合《あ》わせたのは、通路《つうろ》を無人《むじん》にして犯行《はんこう》をしやすくするため…
それと、誰《だれ》にも疑《うたが》いをかけたくなかったからじゃろう…
運悪《うんわる》くあの三人《さんにん》には疑《うたが》いがかかってしまったようじゃが…
GOMERA
証拠《しょうこ》は？
もちろんありますぞ！松井《まつい》さんが自分《じぶん》の足《あし》を刺《さ》したもう一本《いっぽん》の刃物《はもの》が、倉庫《そうこ》にある撮影用《さつえいよう》の刃物《はもの》の箱《はこ》の中《なか》にな！
あそこしか隠《かく》し場所《ばしょ》がなかったんじゃろう…足《あし》を刺《さ》して動《うご》けんかったからのう…
それともう一《ひと》つ…
松井《まつい》さんが着《き》ている…

そのシャツじゃ!!
シャツ?
犯人《はんにん》は着《き》ぐるみを着《き》たまま全走力《ぜんそくりょく》で逃走《とうそう》しておる…
当然《とうぜん》シャツは汗《あせ》でグッショリぬれておるはずじゃ!!
だが彼《かれ》のシャツには、汗《あせ》の跡《あと》なんて…
あるわけなかろう!
着替《きが》えたんじゃから!!
き、着替《きが》えた?
その証拠《しょうこ》はこの子《こ》が知《し》っておる…
ボクだよボク!
え?
ホラ、覚《おぼ》えてる? 倉庫《そうこ》の中《なか》で歩美《あゆみ》ちゃんが松井《まつい》さんのシャツにジュースかけちゃったの!
あれって松井《まつい》さんが刺《さ》されて大声《おおごえ》を出《だ》す、すぐ前《まえ》だったよね?
……
でも変《へん》だなぁ、そのシミがないよ…
どこで着替《きが》えたの? 足《あし》を刺《さ》されて動《うご》けなかったんでしょ?

ねぇボウヤ…なんか勘違《かんちが》いしてなーい？
え？
ホラ、シャツじゃなく床《ゆか》にこぼしちゃったとか…
でもボク本当《ほんとう》に…
ホントにホント？
よく思《おも》い出《だ》して…
お願《ねが》いボウヤ…
もういいよ友美《ともみ》ちゃん…
その子《こ》のいうとおり、すごく汗《あせ》をかいたんで着替《きが》えました…
着替《きが》えたシャツは僕《ぼく》のバッグの中《なか》に…
よーし、すぐに調《しら》べろ!!
でも、なぜだ松《まっ》ちゃん？なんでプロデューサーを？
次《つぎ》の映画《えいが》の仕事《しごと》ももらってたんだろ？
次《つぎ》の仕事《しごと》…
そんなの最初《さいしょ》から頭《あたま》になかったよ…

僕《ぼく》の頭《あたま》にあったのはゴメラの事《こと》だけさ…
し、しかしゴメラを一番《いちばん》やめたがっていたのは、松井君《まついくん》、君《きみ》だと…
あれはプロデューサーの作《つく》り話《ばなし》ですよ…金食《かねく》い虫《むし》の人気映画《にんきえいが》「ゴメラ」の打《う》ち切《き》りをスタッフに納得《なっとく》させるための…
変《へん》だと思《おも》ったんだ…悲《かな》しそうな笑顔《えがお》で僕《ぼく》を励《はげ》ます…みんなの視線《しせん》が…
バカだよな…その作《つく》り話《ばなし》に気《き》づいたのがつい二週間前《にしゅうかんまえ》だなんて…
慌《あわ》ててプロデューサーに掛《か》け合《あ》ったけど、相手《あいて》にしてくれなかった…「ゴメラ最期《さいご》の決戦《けっせん》」と銘打《めいう》って大々的《だいだいてき》に宣伝《せんでん》してしまったから、もう後戻《あともど》りできないって…
なーに一年《いちねん》もたてば皆《みな》すぐに忘《わす》れるよ…
あんなゴムでできた化《ば》け物《もの》の事《こと》なんて…
どーして相談《そうだん》してくれなかったんだ?
いえなかったんですよ…最後《さいご》だからってがんばるみんなの姿《すがた》を見《み》ると…つらくて……
でも僕《ぼく》は後悔《こうかい》なんかしてませんよ…
これで当分《とうぶん》ゴメラが死《し》ぬラストシーンは撮《と》らなくてすみますから…
ただ一《ひと》つ…
心残《こころのこ》りなのは…

子供達《こどもたち》にあんなところを目撃《もくげき》させてしまった事《こと》だけですよ…
なぁ友美《ともみ》ちゃん本当《ほんとう》か？ゴメラの背中《せなか》から松《まっ》ちゃんが見《み》えたって話《はなし》…
ううん…何《なに》も見《み》えなかったわ、あっという間《ま》に行《い》っちゃったから…
え？
じゃあどうして？
バカね…中身《なかみ》なんか見《み》えなくったって動《うご》きでわかるわよ…
だって彼《かれ》は10年間《ねんかん》も苦労《くろう》を共《とも》にしてきた…
私《わたし》のパートナーだもの…

二か月後《げつご》…
ゴメラは無事《ぶじ》に
公開《こうかい》された…
ゴメラ
最期の決戦
未撮影《みさつえい》の
ラストシーンは、
今《いま》までのフィルムを
つなぎ合《あ》わせて構成《こうせい》され
ゴメラが死《し》ぬカットは
消滅《しょうめつ》した…
ゴメラは永遠《えいえん》に
スクリーンの中《なか》で
生《い》き続《つづ》ける事《こと》に
なったのだ…
大迫力《だいはくりょく》の
映像《えいぞう》と
ストーリー
展開《てんかい》に、
観客《かんきゃく》は
息《いき》をのみ
歓喜《かんき》する…
オオオ
だが…
館内《かんない》に響《ひび》きわたる
ゴメラの雄叫《おたけ》びが、
オレには
とても
寂《さび》しそうに
聞《き》こえて
ならなかった…

名探偵コナン⑬

少年サンデーコミックス

1997年1月15日初版第1刷発行　(検印廃止)

著者　青山剛昌
©Gôshô Aoyama 1997

発行者　亀井修

印刷所　図書印刷株式会社

PRINTED IN JAPAN

発行所　(101-01)東京都千代田区一ツ橋二の三の一　株式会社 小学館
振替(00180−1−200)
TEL　販売03(3230)5749　編集03(3230)5480

ISBN4—09—125043—2

こすこす
こすこす
こすこす
こすこす
こすこす
こすこす

天下《てんか》シモ
それもそのはず。
彼《かれ》はなんと
しもねた星《せい》の王子様《おうじさま》
なのでした。
てってけてー
恥《は》ずかしい!
でもメルヘンチック♡
女心《おんなごころ》もくすぐって、
つかみはOK《オーケー》!!
こすこす
こすこす
こすこす

輝《かがや》け！
"楽《たの》しい体操《たいそう》"
これが、平成学園男子体操部《へいせいがくえんだんしたいそうぶ》のテーマ。
そりゃ、高得点《こうとくてん》が出《で》ればうれしいけど、
得点《とくてん》を競《きそ》うだけの演技《えんぎ》なんて
つまらない。
アニメ
ガンバ！リスト！駿
— From「ガンバ！Fly high」—
よみうりテレビ・日本《にほん》テレビ系列《けいれつ》にて
月曜午後《げつようごご》7時《じ》
放送中《ほうそうちゅう》!!

夢《ゆめ》はオリンピック――
ぼくたちの未来《みらい》は、ぼくたちで作《つく》る。
だからきっと、素敵《すてき》なのさ!!
ぼくらの未来《みらい》!!
少年サンデーコミックス
S comics
発行/小学館
ガンバ!《ガンバ》 Fly《フライ》 high《ハイ》
1~12巻発売中!!
原作《げんさく》/森末慎二《もりすえしんじ》
作画《さくが》/菊田洋之《きくたひろゆき》
オッス!少林寺《しょうりんじ》 全7巻好評発売中!!

発売!!

少年サンデーコミックス

S comics

発行/小学館

発売中!!

●少年サンデーコミックス

H2《エイチツー》
★1～19巻発売中!! あだち充

"LOVE《ラブ》"
★1～16巻発売中!! 石渡 治

名探偵《めいたんてい》コナン
★1～13巻発売中!! 青山剛昌

まじっく快斗《かいと》
★1～3巻発売中!! 青山剛昌

ガンバ！Fly《フライ》 high《ハイ》
★1～13巻発売中!! 原作/森末慎二 作画/菊田洋之

鬼切丸《おにきりまる》
★1～11巻発売中!! 楠 桂

じゃじゃ馬《うま》グルーミン★UP《アップ》!
★1～9巻発売中!! ゆうきまさみ

DAN《ダン》 DOH《ドー》!!
★1～8巻発売中!! 原作/坂田信弘 作画/万乗大智

東京番長《とうきょうばんちょう》
★1～8巻発売中!! 鈴木けい一

砂漠《さばく》の野球部《やきゅうぶ》
★1～7巻発売中!! コージィ♡城倉

め組《ぐみ》の大吾《だいご》
★1～5巻発売中!! 曽田正人

アクシデンツ
★1～3巻発売中!! 山田貴敏

なぎさMe公認《こうにん》
★1～3巻発売中!! 北崎 拓

秘拳伝《ひけんでん》キラ
★1～3巻発売中!! 原作/碧星タケル 作画/三好雄己

有椎名百貨店《ゆうしいなひゃっかてん》
★1～3巻発売中!! 椎名高志

ビュンと春兵《しゅんぺい》！
★1～2巻発売中!! 原作/若林敏生 作画/風巻弦

鳥人《ちょうじん》ブンタ
★1～2巻発売中!! 高橋功一郎

育《そだ》ってダーリン!!
★1巻発売中!! 久米田康治